KB153244

쇼코의 미소

문학동네

JOJO'S BIZARRE ADVENTURE PART 8 JOJOLION 13

First published in Japan in 2011 by SHUEISHA Inc., Tokyo.
Korean translation rights in Republic of Korea arranged by SHUEISHA Inc.
through Shinwon Agency Co. and The Sakai Agency Inc.
Korean edition, for distribution and sale in Republic of Korea only.

volume

13 워킹 하트

아라키 히로히코
Hirohiko Araki & Lucky Land Communications

모리오초 인물 소개

히가시카타 죠스케(추정 19세)

'벽의 눈'에서 발견된 신원 불명의 청년. 어깨에 별 모양의 반점이 있다. 자신이 누구인지 전혀 기억하지 못한다. 히가시카타가에 거둬져 '죠스케'라는 이름을 받는다. '벽의 눈'의 능력으로 키라 요시카게와 융합한 것이 판명됐다.

히로세 야스호(19)

모리오초에 사는 대학생. '벽의 눈'에서 우연히 발견한 죠스케의 신원을 알아내기 위해 함께 행동한다.

키라 요시카게(29)

죠스케와 비슷한 풍모를 지닌 청년. 죠스케가 발견된 시점에 이미 같은 곳에서 죽은 상태로 있었다는 사실이 나중에 판명됐다.

키라 홀리 죠스타(52)

키라 요시카게의 어머니. TG대 병원에 입원중.

히가시카타 죠빈(32)

히가시카타가의 장남. 매일 매일이 여름방학인 것처럼 사는 타입.

히가시카타 미츠바(31)

장남 죠빈의 아내.

히가시카타 츠루기(9)

장남 죠빈과 미츠바의 아들. 액막이를 위해 여자애 차림으로 지내고 있다.

니지무라 케이(22)

키라 요시카게의 여동생. 히가시카타가의 비밀을 알아내고자 가정부로 숨어들었다.

히가시카타 노리스케(59)

히가시카타가의 가장. 히가시카타청과의 제4대 점주.

히가시카타 죠슈(18)

히가시카타가의 차남. 야스호의 소꿉친구로 같은 대학에 다닌다. 야스호를 좋아한다.

히가시카타 하토(24)

히가시카타가의 장녀. 모델.

히가시카타 다이야(16)

히가시카타가의 차녀. 죠스케를 좋아한다.

지난 줄거리

지진이 일어난 후 마을 안에 나타난 융기물 '벽의 눈' 근처에서 발견된 수수께끼의 청년은 히가시카타가에 거둬져 '죠스케'라는 이름을 받는다.

죠스케는 조사를 진행하던 중, 등가교환의 효과를 가진 과일 '로카카카'가 자신의 정체와 관련이 있음을 알게 된다. 그리고 그 소재를 알아내기가 무섭게 죠스케를 '죠세후미'라고 부르는 여자, 사쿠나미 카레라가 나타나는데…

한편 히가시카타가의 장녀 하토가 남자친구를 데리고 온다. 다모 타마키라는 수상쩍은 남자의 등장으로 곤혹스러워하는 히가시카타가 일동. 정신을 차렸을 때는 이미 상황은 다모의 공격으로 파멸에 치달아 있었다…! 다모의 목적은 야기야마 요츠유와 다른 동료들을 죽인 범인을 알아내는 것이었다. 그는 모든 것이 2년 전에 시작되었다며 입을 연다.

과거 선의로서 화물선에 타고 있던 키라 요시카게는 바위 인간 다이넨지야마 아이쇼가 운송중이던 로카카카의 존재를 알게 된다. 키라는 어머니 홀리의 병을 낫게 하기 위해 아이쇼에게서 로카카카를 훔치기로 결심한다. 그리고 키라가 그 계획을 제안한 상대는 바로 어렸을 적 홀리 덕분에 목숨을 구한 청년, 쿠죠 죠세후미였다.

★★★★★ MORI OH CHO MAP 모리오초 지도

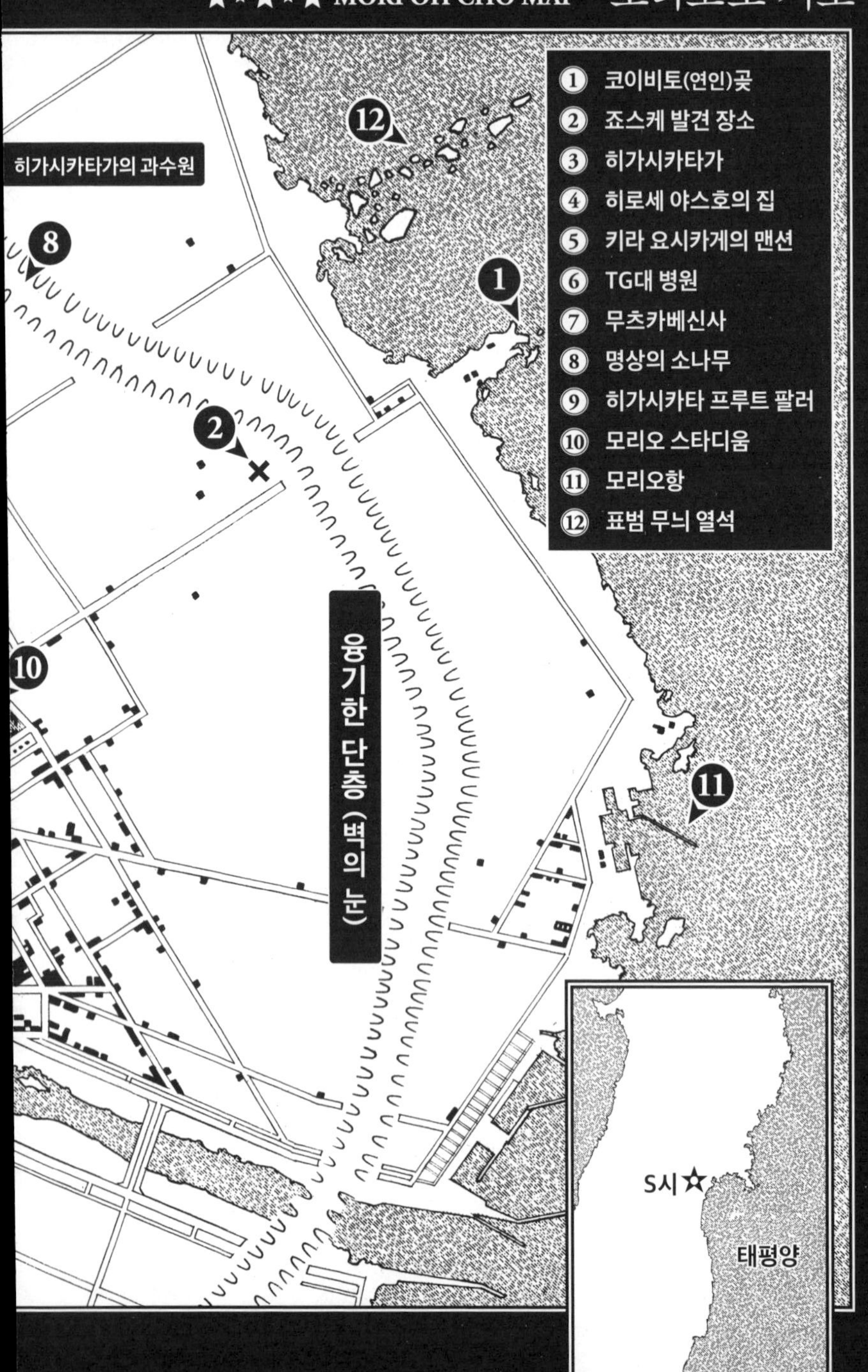

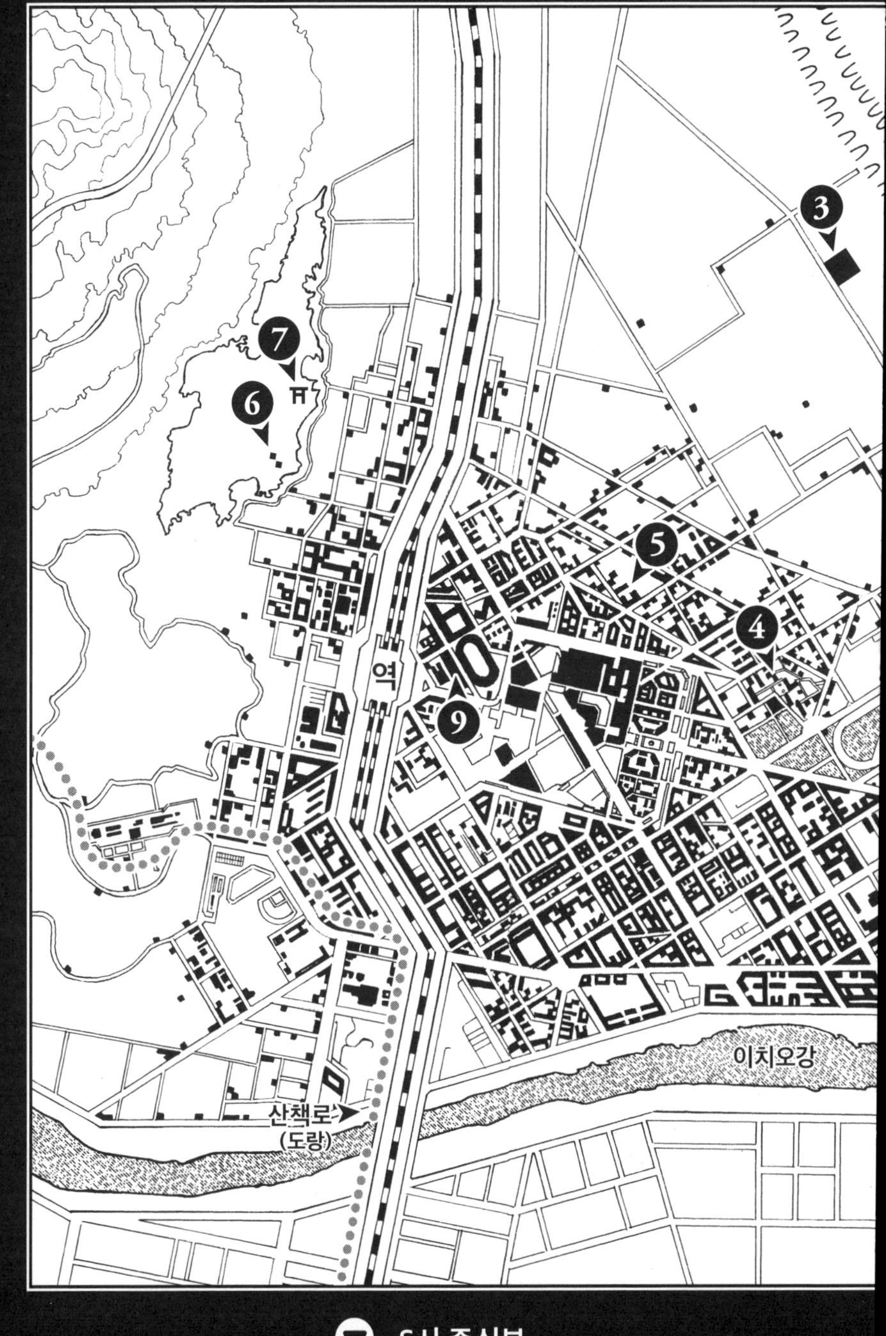

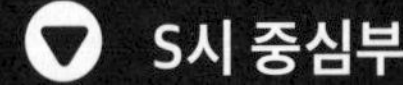

S시 중심부

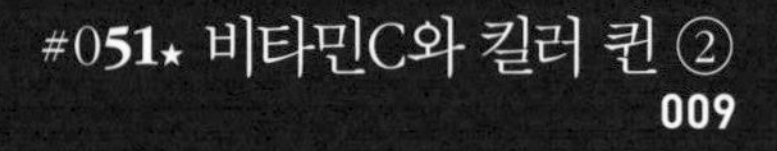

차례★
워킹 하트

volume
13

Jojo's bizarre
adventure,part8
JoJolion

#051 비타민C와 킬러 퀸 ②

구심
구심
¥2200
청천동
구심
구심
구심
¥2200
NA
CA
CA

버럭
겨우 찾았네! 다른 가게는 죄다 품절이라서 말이야아~
여기에 있었구나~~~ 엄청 찾았다고오~~
'아이 아이 SYAA!'.
이거 실례.
이 안약,
광고에서 말하던 그대로야~! 무진장 상쾌해!
아니, 그 이상이야아!
없으면 불안하니까아~ 많이 쟁여둘까?
그래! 싹쓸이 해야겠어.
수북
SYAA
아이 아이 SYAA!
¥520
투욱
SYAA
아이 아이 SYAA!
¥520

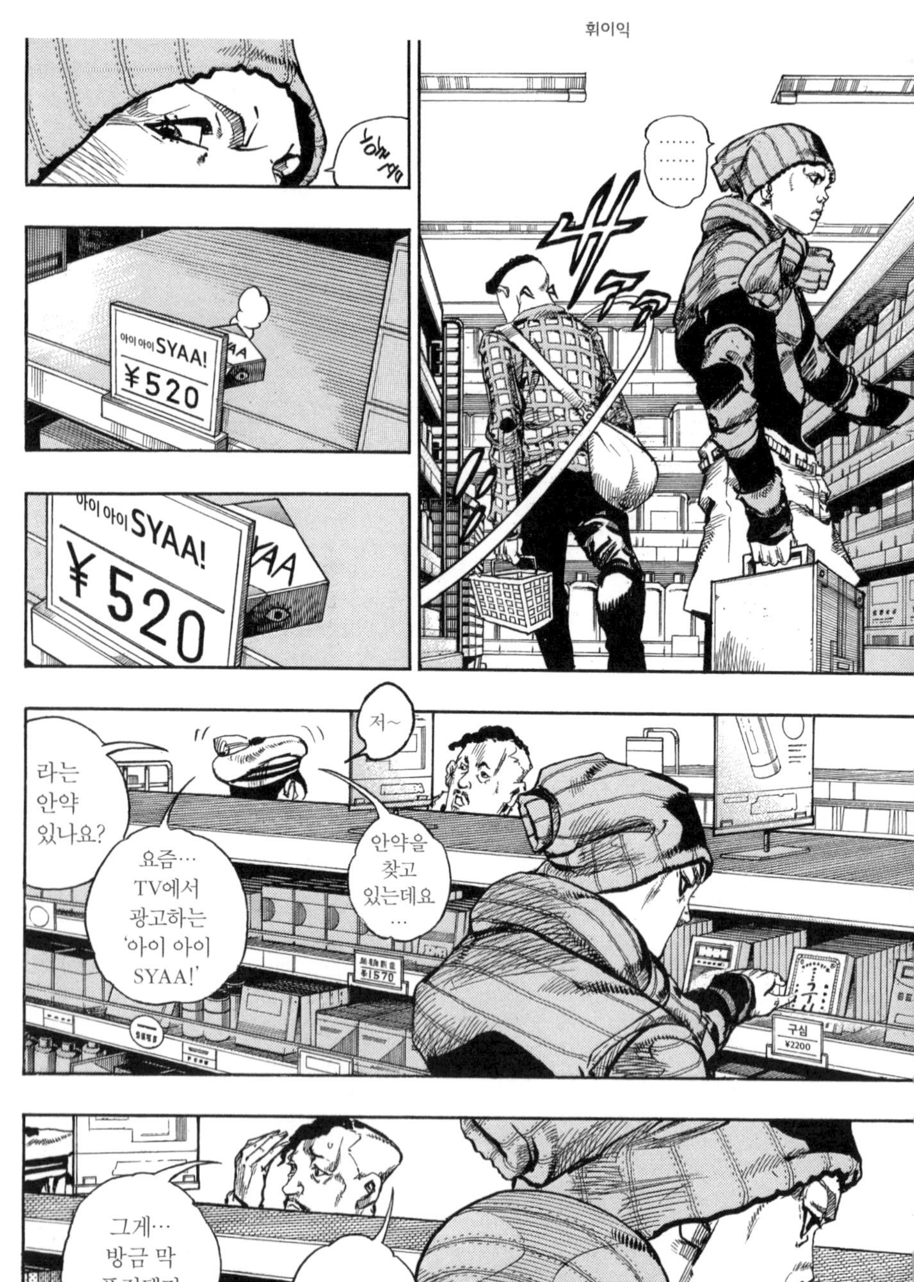
휘이익
……
……
……
아이 아이 SYAA!
¥520
아이 아이 SYAA!
¥520
저~
안약을 찾고 있는데요…
요즘… TV에서 광고하는 '아이 아이 SYAA!'
라는 안약 있나요?
구심
¥2200

……
……
아~앗!!
그게… 방금 막 품절됐지 뭡니까아~
사로탈렌
¥1570

그래요…?
어느 약국에 가도 품절이래서 …
요즘… 꽃가루 철인 데다…
오늘밤 철야 작업이 있거든요~
'아이 아이 SYAA!' 재고가 있으려나~

샥

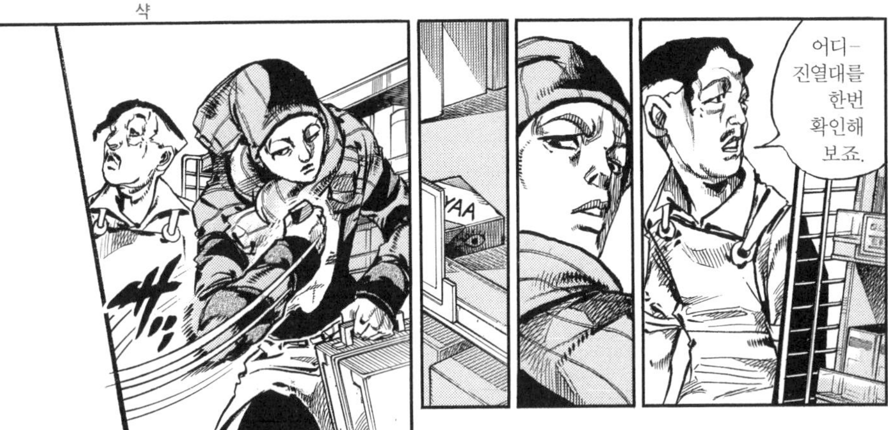
어디- 진열대를 한번 확인해 보죠.

아아~~~ 앗…
손님… 역시 품절이네요~~~
죄송합니다~ 추가 주문 해둘게요.
저기,
좀 급한데 …
이거 계산 좀 …

2F SHOP
IN
약
NEW
덥석
부웅 부웅
여보세요.
왜 전화했어?
약속 시간 맞춰서… 지금 가고 있어.
…나 혼자야. …말했을 텐데! 거래는 1대1이라고…

보디가드 같은 소리 하네…
문제가 있다면 '세금' 관련된 것뿐이야.
어느 모로 보나 '위법'이 아니라고.
당신은 돈만 갖고 오면 돼.
약속 장소 주변에 누군가 데리고 왔다간… 돌아가겠어… 알겠지?
또옥

파아앗
번쩍

고고고고고

?!!
끼기 끼기기기이이익

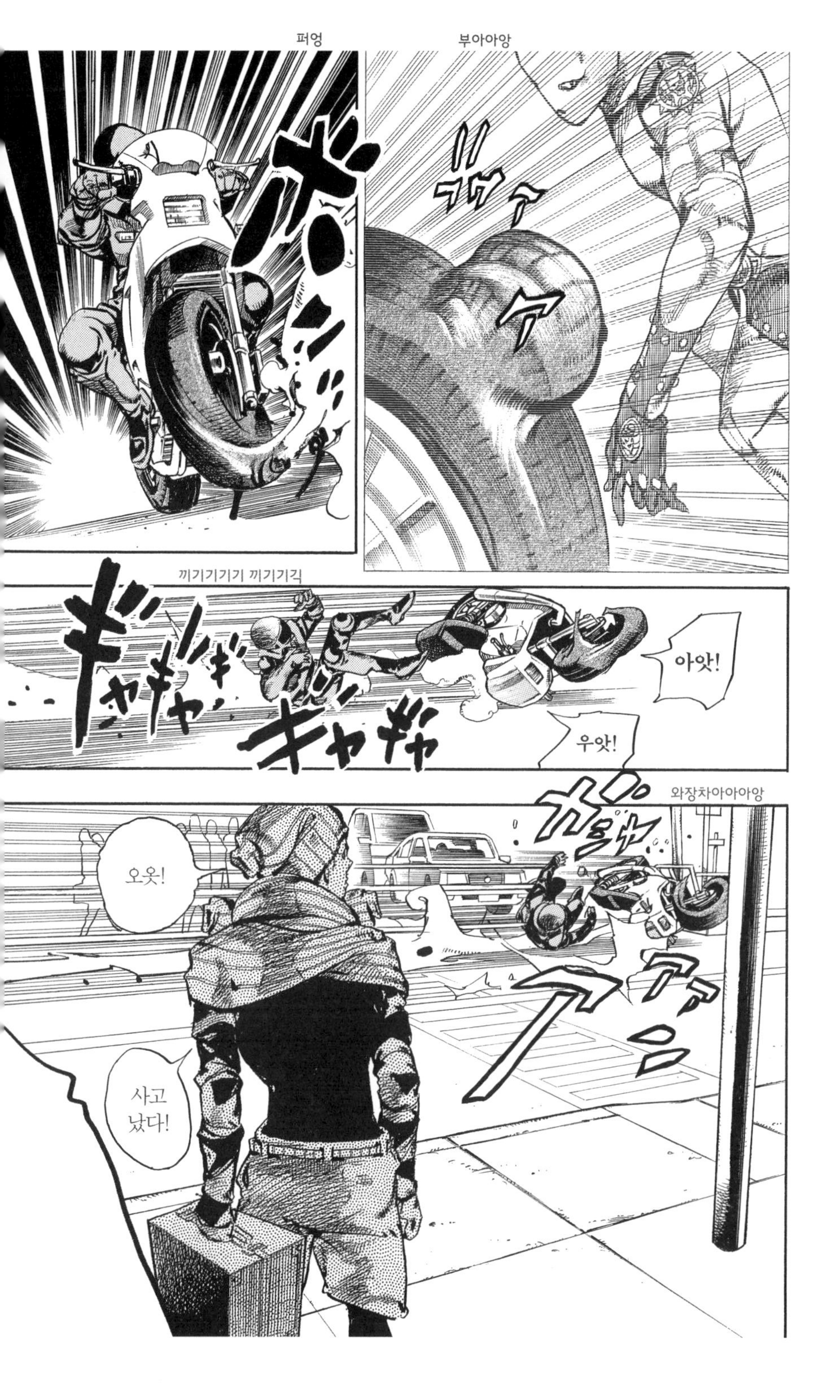
퍼엉
부아아앙
끼기기기기 끼기기긱
아앗!
우앗!
와장차아아아앙
오옷!
사고 났다!

……
……
……
……
달카악

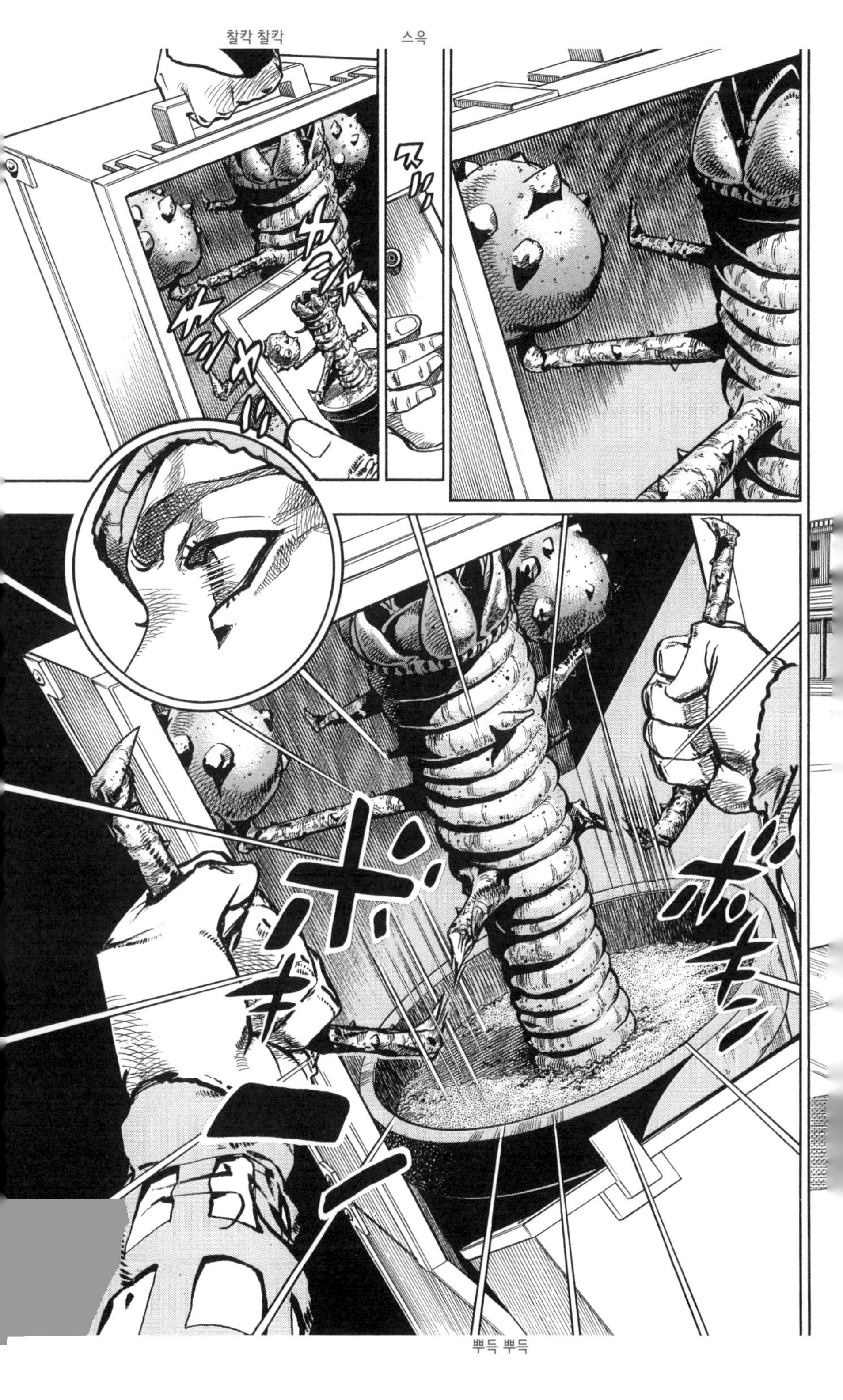
찰칵 찰칵
스윽
뿌득 뿌득

이봐,
괜찮아
?!
구급차!
구급
차를
불러.
다친 데
없어?!
아…
괜찮
아요…
혼자
일어날 수
있어요…

타이어
펑크예요.
이거…
펑크가 났나
봅니다…
갑자기…
이런…
괜찮
아요
…

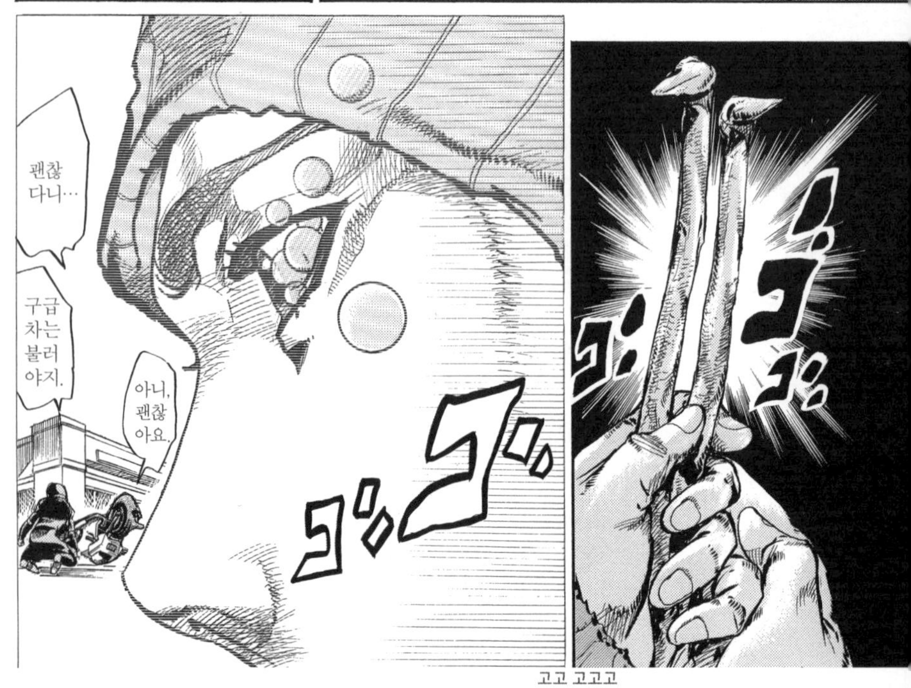
괜찮
다니…
구급
차는
불러
야지.
아니,
괜찮
아요.

고고 고고고

고고고고고고고

고고고 고고고
평크가 났나 봅니다…
아까 말했잖아.
진짜 괜찮은 거야? 구급차를 부르자고.
스윽
보글보글
고고고고고

부와아아아아아아

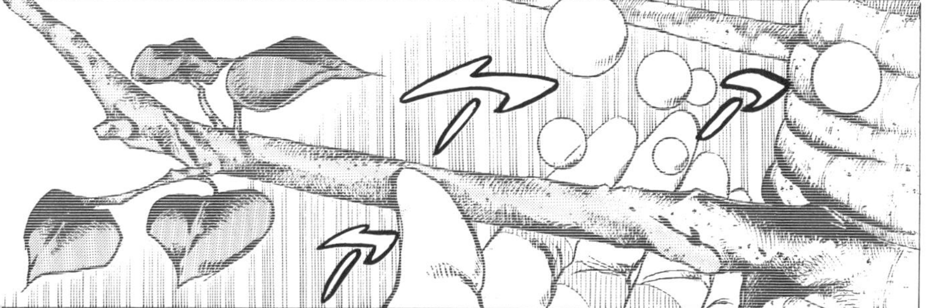

슥삭슥삭
シャッシャッ

파앙 파앙
두웅!
슬쩍

이거.
이 안약,
광고
대로군.
눈이
상쾌해.
파앙 파앙
파앙 파앙

고고고고고
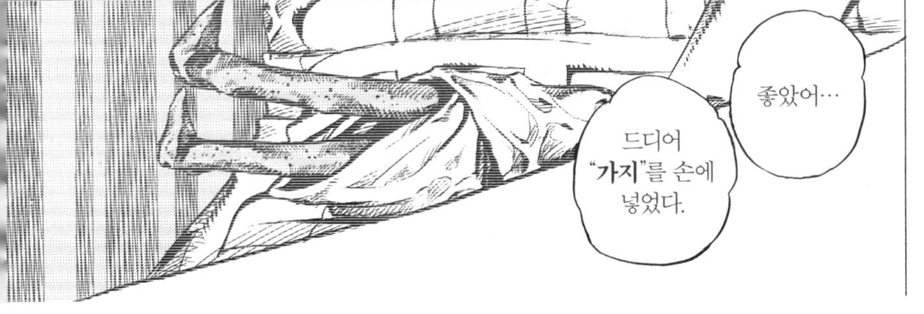
좋았어…
드디어 "가지"를 손에 넣었다.

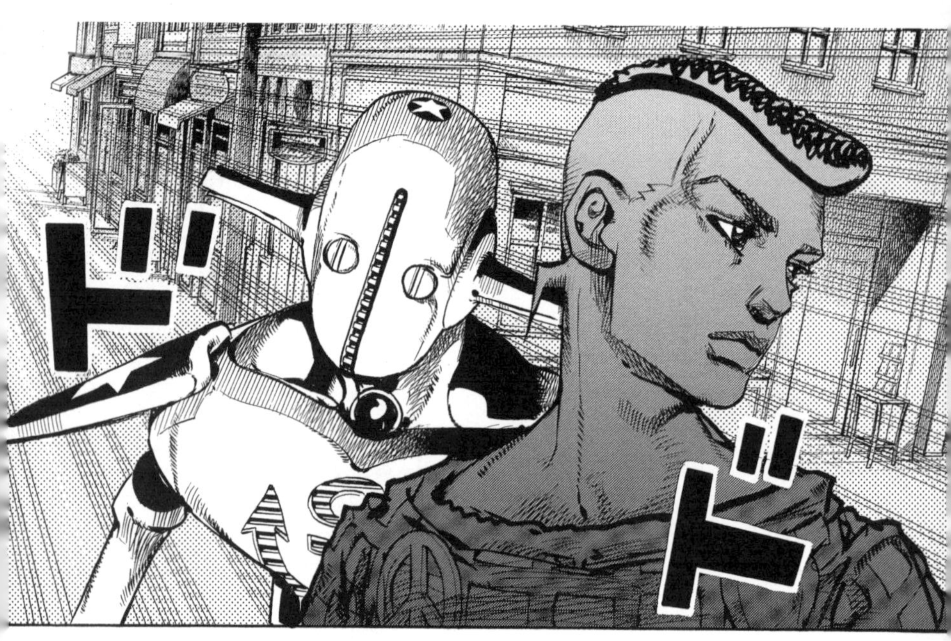
ド
ド

벌써 6개월째군…
믿기지 않아… 그로부터 반년이나 지났다니.
그 지진으로 모리오초의 지형은 크게 바뀌었어.
정말 많이 바뀌었다고.
특히 당신네 집 부지 너머는 알아볼 수도 없을 만큼 딴판으로 바뀌었어.
무언가로부터 지키려는 것처럼, 위치에 따라서는 20m나 지면이 융기했지.
ゴゴゴ

고고고고

도도도도도
헉헉
헉헉
헉헉
헉헉
헉헉
헉헉
노리스케 씨, 내 얘기 듣고 있는 건가?
이쪽을 보면서 들어 달라고.
그래…
현관에 간 뒤로 돌아오지 않는 두 딸의 목소리가 들리지 않아 걱정되나?
고고고고

고고고고

허억
허억
허억
허억
딸의 이름을 불러보지 그래?
이쪽으로 돌아오라고 해도 돼…

하토짱을 이리 오라고 불러볼까?
아니면 내가
고고고고

그… 그만둬!
제… 제길! 그만 둬어!

가족한테 무슨 짓을 했다간 널 죽일 거야!!
반드시 죽인다!

자… 본론으로 돌아가지.
아주 중요한 얘기야.
노리스케 씨, '로카카카'는 알고 있겠지?
뉴기니에서 발견된 그 '과일'의 이름이야.
'로카카카' 같은 건 몰라!
'야기야마 요츠유'는 '로카카카' 나무를 찾고 있었지.
이 근처 어딘가에 있거든.
그런데 지형이 바뀌어버린 탓에 '요츠유'는 난항을 겪고 있었어.
그렇게 당신네 부지 안에서 '로카카카'를 찾는 도중에 '요츠유'는 행방불명된 거야.
아니지… 아니야.
내 목적은 '세 가지' 있다고 했지만 질문은 '하나씩'이야.
아직 '첫번째' 질문에 불과해, 노리스케 씨.

슈욱

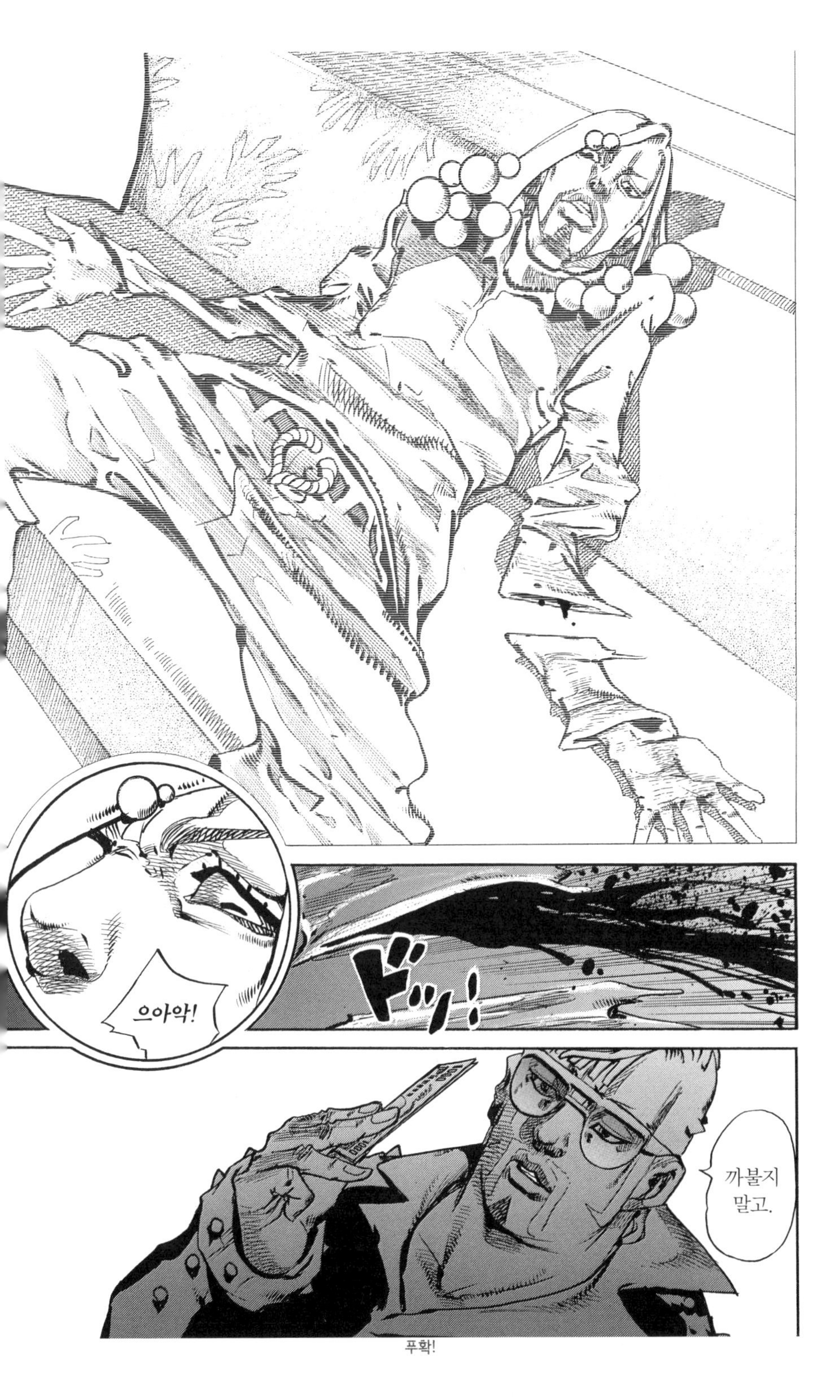
으아악!
ドッ!
까불지 말고.
푸확!

우아아
아아아
아아아
아아
아앗,
앗!!
으아아악

혹시 원한다면
당신 딸들도
이렇게 만들어
줄 수 있어…
당신이 계속
입을 다문다면
말이야.
스탠드——
"비타민C"는
버터보다도
손쉽게
자를 수
있지.

그래,
나다!
제기일!
내가 죽였다!
요츠유는 바다
속에 처넣어줬다!
바위 인간이라는
정체를
알았으니
말이야!

음!

그래…
좋아.

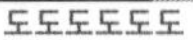

하나씩 대답하는 건 좋아.
다음 단계로 가지! 당신 혼자 요츠유의 정체를 알아내어 쓰러뜨리는 건 쉽지 않았을 터.
내가 알고 싶은 건 바로 그거야.
허억
허억
허억
허억
혼자가 아니었을걸? 당신과 함께 있었던 건 '누구'지?
그 녀석이 분명 내가 찾고 있는 녀석일 거야.
허억 허억 허억 허억
'누구'지? 그때 '누구'와 함께 있었지?
진짜로 요츠유를 죽인 건 "누구"지?
허억 허억 허억
도도도

도도도

홍차 괜찮을까?
나도 같이 마시려고…
그래서… 이름이 뭐랬지 ~~?

쿠죠 죠세후미 라고 합니다.
홍차로 부탁 드려요.

……
……
……

우리, 전에 만난 적이 있던가?
예…
옛날에… 아주 어렸을 적에 어머님의 환자였죠.
정말 신세 많이 졌습니다. 수많은 환자 중 하나였을 뿐이지만 …
그래… 다시 만나게 돼서 반갑네… 건강하게 잘 자라서 다행인걸.

…… ……
……?

자, 그럼 여기!
'베르사이유의 장미', 재미있으니까 읽어봐!
터억

그 모자…
또 새로 샀니? … 요시카게.

그래도 잘 어울리네~
좀 별난 디자인이지만~~

엄마, 모자를 새로 산 건 나야.
이제 잘 시간 됐어. 방으로 가자.

앗! …… ……

우…
우…

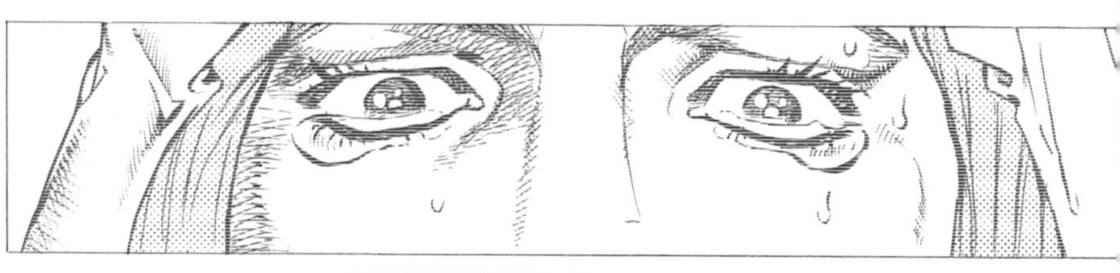

알아… 그런 건 알고 있어…
무슨 일이 있어도…
이 세상에서, 그 어떤 잔혹한 일이 일어나도…
제일 소중한 건 결코 잊지 않아…
자기 아이를 언제 어느 때고 잊을 리가 없잖아.
절대…
그래… 나도 알아.
괜찮아.
방으로 가서 쉬어.

퍼억
이 손 놔!
침실 정도는 나 혼자 갈 수 있어!
넌 요시카게한테 '베르사이유의 장미'나 읽어줘!

…가자.

그런데 그건 어떻게 됐어?
어떤 상황이지?

쏴아아아아
그거라면 순조로워.
그 일대는 여진으로 지면이 융기하기는 했지만
그거엔 아무 문제도 없어.
'둘'이야.
두 개 다 수확할 수 있어.
앞으로 얼마나 더 걸리지?
금방이야.
다 익을 때까지 한 일주일 걸리려나…
보고 싶어?
그래… 상태가 어떤지… 보고 싶어.
하지만 '수확'할 때까지 거기에 '접근하지 않도록' 하자고. 나도, 너도.
마지막까지 조심하는 거야.

들킬 리 없어.
'조심'은 하고 있어.
'접목'시킨 "가지"는 절대 그 누구도 보거나 알게 해서는 안 돼.
하지만 '수확'한 이후의 일까지 얘기하는 거야.
나도 알아…
쏴아아아아
죠세후미…
'저 여자', 알아차렸어?
항상 네 뒤를 쫓아다니던데.
분명… '사쿠나미 카레라'야.
저 여자애, 알고 있어…
……
……
?

재는 같은 농학부 학생이야.
날 쫓아다닌다고?

단지 그뿐이긴 하지만 말이야.
널 '좋아'하는 듯하더군…
하지만 저 '사쿠나미 카레라'… '스탠드 능력'이 있어.
그런 건 이미 다 조사했어… 저래 봬도 시험 쳐서 들어온 학생이고…

* 일본식 소고기 덮밥. (역주)

덥석
음식에서 '털'이 나왔다며 규동* 가게에서 트집 잡아 돈을 뜯고 있더라고.
'머리카락' 쪽에 '스탠드'가 있어…

'스탠드 능력'이라는 건 어찌된 영문인지는 몰라도 이어져 있어.
저 여자는 그냥 스토커지만…
'인연'이 있다고.
난 그 말이 하고 싶은 거야.

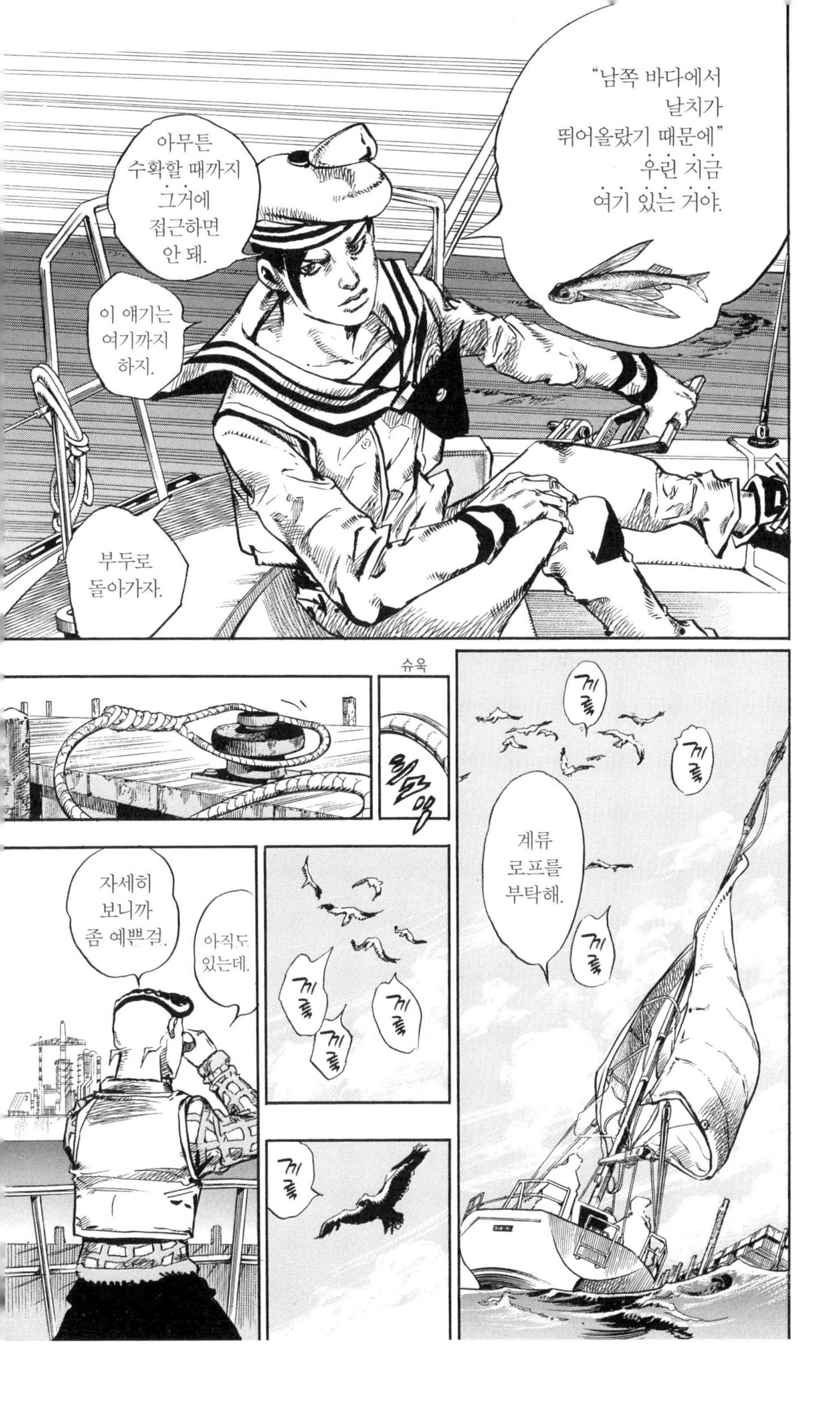
"남쪽 바다에서 날치가 뛰어올랐기 때문에" 우린 지금 여기 있는 거야.
아무튼 수확할 때까지 그거에 접근하면 안 돼.
이 얘기는 여기까지 하지.
부두로 돌아가자.
끼룩
끼룩
계류 로프를 부탁해.
끼룩
슈욱
끼룩
끼룩
끼룩
끼룩
아직도 있는데.
자세히 보니까 좀 예쁜걸.

죠세후미.
2번에 선체를
단단히 묶어줘.
계류 로프가
물속에
빠졌어.
미끌
분명히
묶어
뒀는데…
……
……

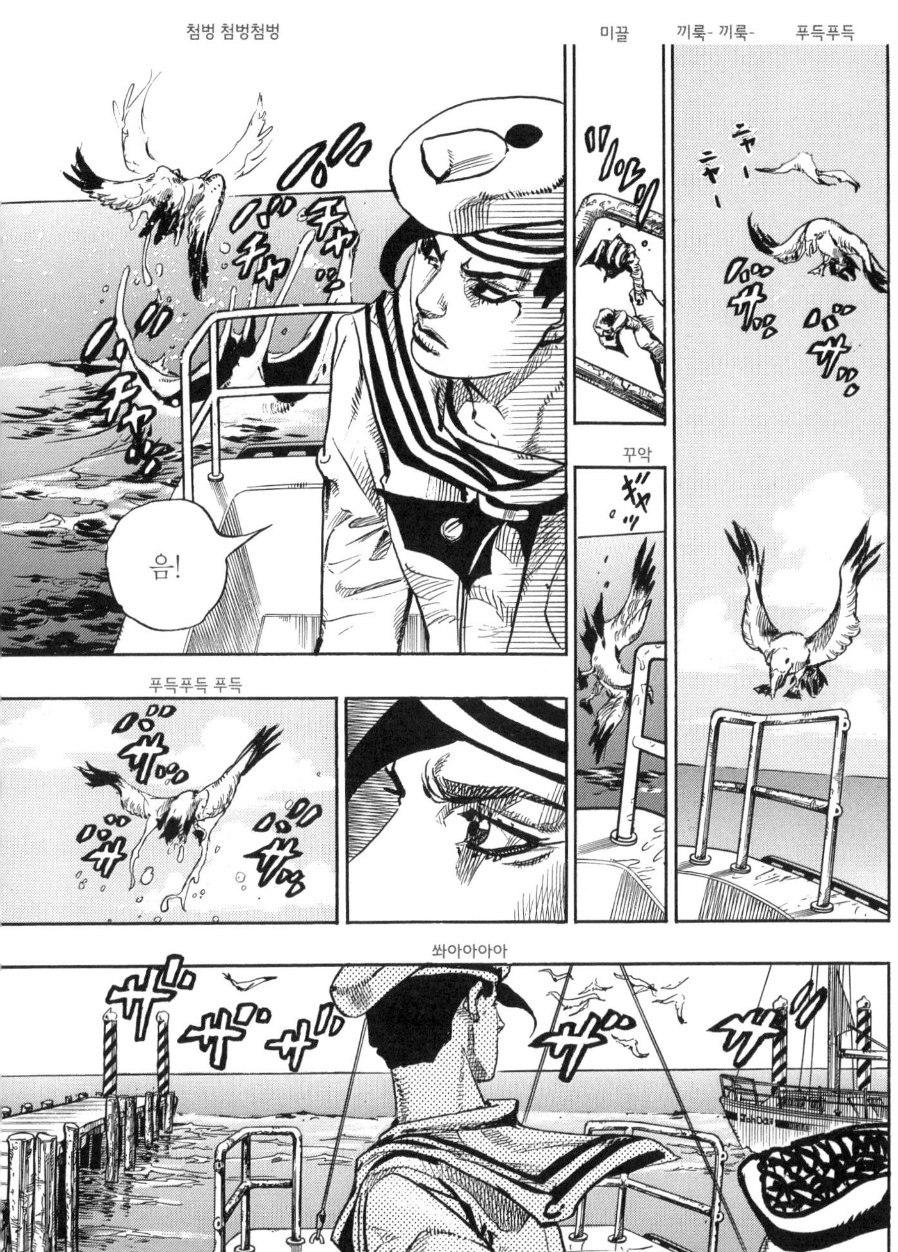

푸득푸득
끼룩- 끼룩-
미끌
꾸악
첨벙 첨벙첨벙
음!
푸득푸득 푸득

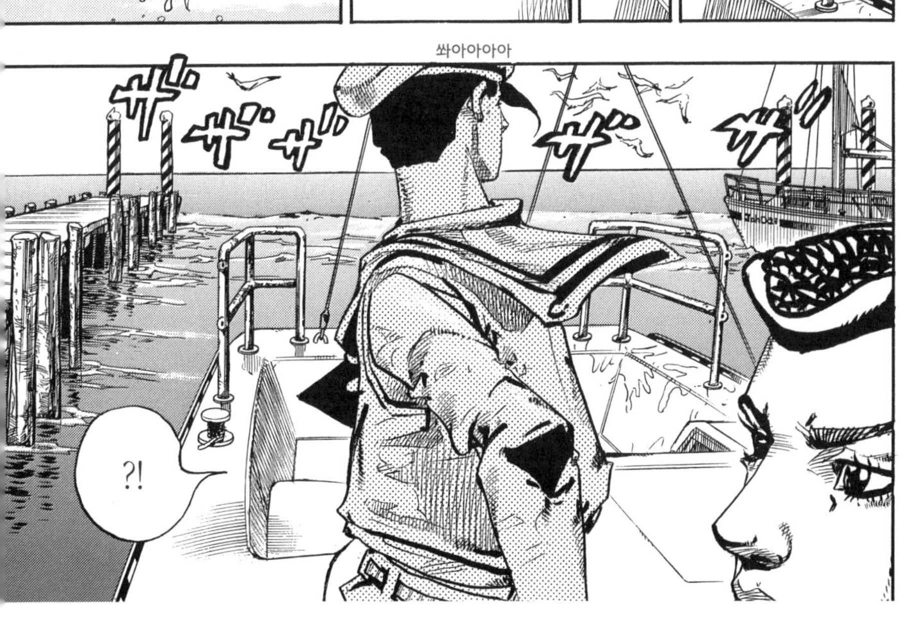

쏴아아아아
?!

쏴아아아
쏴아아
쏴아아아

쏴아아아

고고고고
!?
오늘은 8월 19일 금요일.
작년 그날로부터 10개월 하고도 16일 3시간… 24분 걸렸군.
여기까지 도달하는 데에 말이야…
우린 늘 '무게'를 재지.
'거래 전'과 '거래 후'에
반드시 '계량'을 해.

'로카카카'의 성분을 도둑맞아 누가 화학 분석이라도 했다간
이래저래 성가시니까.
고고고고고

고고고고고고
그날 아이쇼가…
'로카카카'를 손님에게 판 다음, 불과 '9g'이지만 나무가 무거워졌다고 하더군.
과일의 무게가 '줄' 경우 도둑맞은 걸 바로 알 수 있지만… 나무가 불과 '9g', 도리어 무게가 늘었으니…
하지만 의심은 하지 않았어.
…흙 속 수분의 양이나 뭔가의 오차라고 판단해 그만 무시하고 말았지.
감탄 스러울 정도야.
내가 알아차린 건 겨울이 오고 지진이 일어나 로카카카가 시들었을 때였지.

이미 6개월이나 지나 있었어…
나무가
시들고서야 비로소 '다른 가지'로 바꿔치기 당했다는 걸 알아차렸지.
우리가 가지를 '두 개' 도둑맞았다는 걸 말이야.
그런 식으로 훔칠 수 있는 자가 있었던 건가! …하고 도무지 믿기지 않더군.
'접목'을 하다니…
고고고고고

이미 6개월이나 경과했기에 통행 기록이나 방범 카메라를 전부 조사하는 건 불가능했어.
하지만 달리 말하자면, 그런 시건방진 짓을 하는 녀석은 반드시 찾아내주겠다고 맹세했지.
그리고 아직 낫지는 않은 것 같지만… 마침내 '키라 홀리'라는 이름을 찾았어.

고고고고고고

그래서 한 명 한 명 체크할 수밖에 없었지.
일본 전국의 '부상자'나 '병자'…
모두를 조사하기로 했어. 현내에서만 15만 명이 넘었지만.
'로카카카'를 훔칠 동기는 '병'의 회복을 위한 게 틀림없다고…
그렇게 생각했거든.

정말 긴 여정이었지.
4개월 걸렸어. 그리고 아들인 네게 마침내 도달한 거야.
'키라 요시카게', 29세. 직업은 선의… 그럼 자기 소개를 하마. 내 이름은
'다모 타마키'다!
이쪽은 야기야마 요츠유.

고고고

WRYY
YYY
EEEEA!!
부웅 부웅 부웅

고오
파아아아앗

질척질척
뭣…!
흐느저억
우웃
우우웃
우웃
오오오
옷후우
웃!

고오
“시어
하트
어택”
호물
'비타민C'.
호물텅
투팟

흐물흐물 흐물흐물 흐무우우우울
전달이 잘 안 된 모양이군.
도도
우웃!
흐느적

자, 그럼…
내가 여기 온 목적은 두 가지다.
너희에게 그걸 묻기에 앞서 지극히 당연한 걸 일러두도록 하마.
내게 거짓말은 하지 마라.
도도도도도

#052
비타민C와 킬러 퀸 ③

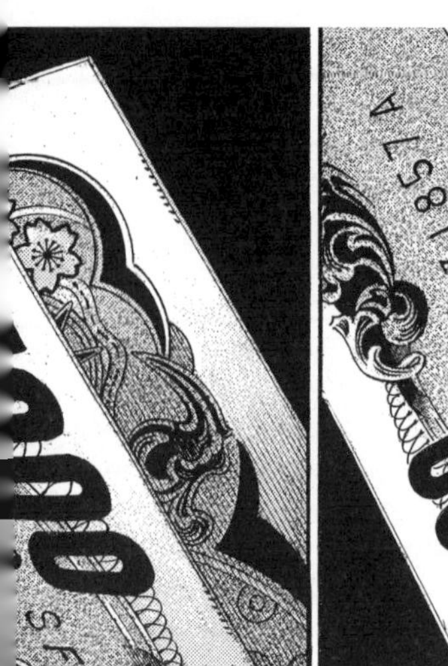

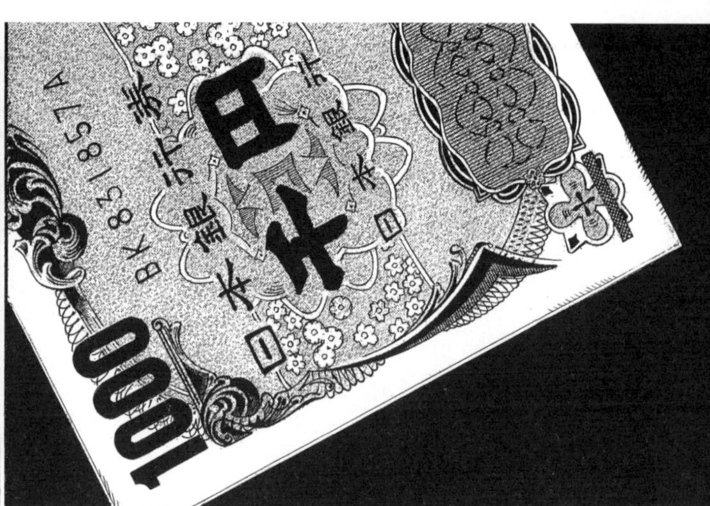
1000
日本銀行券
千円

고고고고고

꺄아
패앵

쉬익
꾸엑!

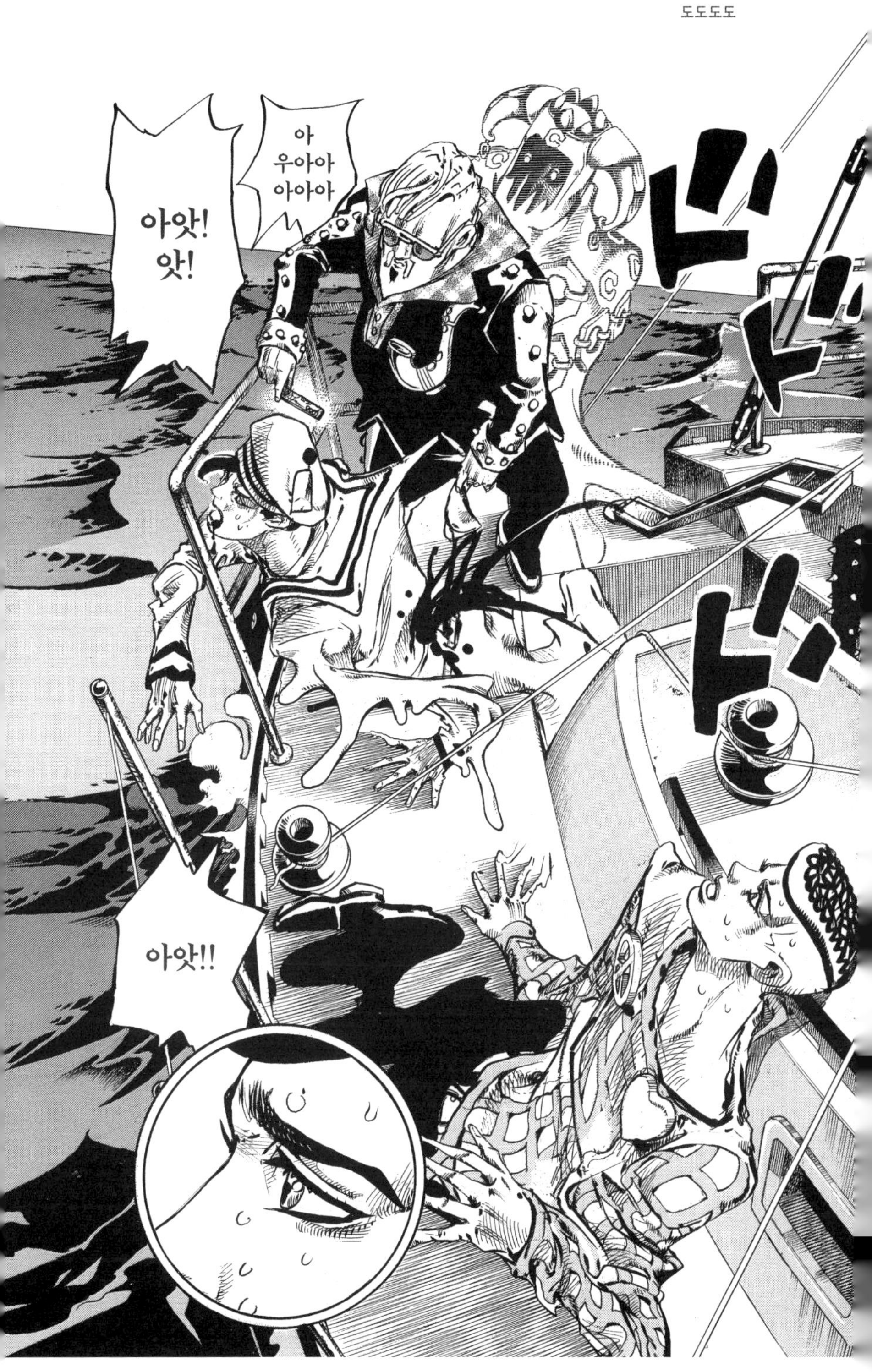
도도도도
아 우아아 아아아
아앗! 앗!
아앗!!

꿀럭 꿀럭
우웃
아아아
아아아
우우
허억 허억 허억 허억
찌익
이거
이거
…
찰칵
찰칵
괭이
갈매기가
없어졌군.
우아아
아아!

이런 걸
말이야…
'시건방'
떤다고
하는 거야.
이
'새파란'
애송이들
아아아
——!
너희
핸드폰을
조사한들
아무것도
알 수 없다
이거냐?
용의주도
하게
움직였으니
…
그런 걸로
우리를
따돌릴 수
있을 것
같아?
어이.
으으…
아아
아아아!
메일이나
사진
같은 건…
하나도
남기지
않았나보군
'로카카카'를
촬영하거나
했을 텐데?
지운
거냐?

와장차아아앙
아아 아앗!
우아 아아아 아아앗!
콰악 콰악 콰악
풍덩 첨벙

참방참방

나도 모르게 성질을 내버렸지만.

알겠냐, 너희들. 잘 들어라.

지금 여기에 등장인물이 '세 명' 있어.

첫번째는 '키라 홀리' (52)다.

이 여자는 병으로 언제가 될지는 몰라도 곧 죽어… 그렇지?

이제 '홀리'는 '열매'를 먹을 수도 없으니 퇴장했다고 치지.
남은 건 '두 명'이다.
지금부터 둘 중 한 명은 죽이겠다.
그리고 나머지 한 명은 용서해주마.
키라 요시카게(29)…
너와…
허억 허억
쿠죠 죠세후미(19),
너다.
고고고

너희는 분명 '로카카카'의 가지를 '접목'시켰을 테지.
그 '가지'의 위치를 먼저 털어놓는 쪽을 용서해주마.
훔친 것도 용서해주고, 시건방 떤 것도 용서해준다 이거야.
…다만 '재배'는 용납할 수 없다.
고고고
……
고고고
확인차 다시 한번 말하마.
로카카카의 '재배' 위치를 털어놓는 쪽… **한 명은 용서해주마.**
한 명은 죽이고.
이것이 내가 여기 온 '두 가지' 목적이다.

애당초 '로카카카'의 존재를 세상에 들키지 않도록 조심했는데도 너희에게 들키고 말았으니 원…
……
……
'도둑질'한 것 자체는 넘어가지.
우리도 '가지'를 도둑맞은 걸 반년이나 알아차리지 못했으니까. 그건 나도 반성하고 있어.

허억 허억 허억
어느 쪽이 털어놓을 거냐? '접목'시킨 가지가 있는 위치를 말해봐라.
자, 그럼!
그러니까 한 명은 '용서' 해주기로 약속하지.
운명적인 책임인지도 몰라…
그 점에도 크게 책임을 느끼고 있어.
먼저 털어놓는 쪽을 살려주마.
허억 허억 허억
허억 허억 허억 허억

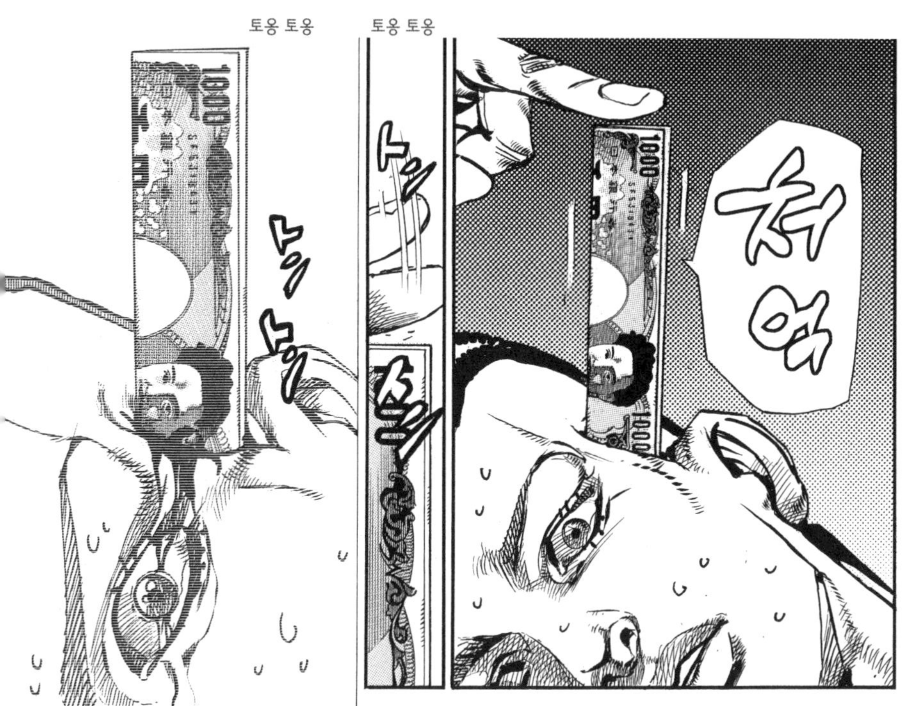
토옹 토옹
토옹 토옹
처억

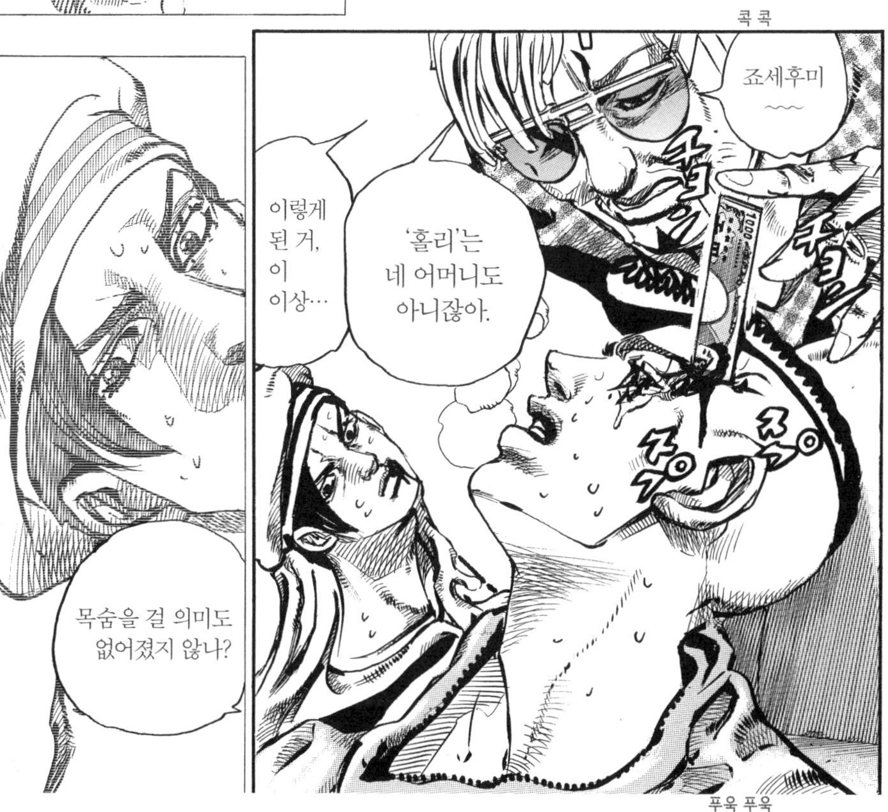
콕콕
죠세후미~~
'홀리'는 네 어머니도 아니잖아.
이렇게 된 거, 이 이상…
목숨을 걸 의미도 없어졌지 않나?
푸욱 푸욱

고고고
네가 먼저
말하는 게
좋을걸…
이러다
키라가 먼저
털어놓겠어~~~~
우…
우웃
엄마!
사…
살려줘
엄마
…
살려줘
…
살려줘…
첨벙 첨벙
촤촤촤촤촤촤

고고고
나로선 네 쪽을 살려주고 싶어.
그런 다음 안심하고 집에 가는 거야.
휙
아앗!
우아아 아아아아
아앗!
좌좌좌좌

아아아아아아아아아아!
좌좌

아아아 아앗!

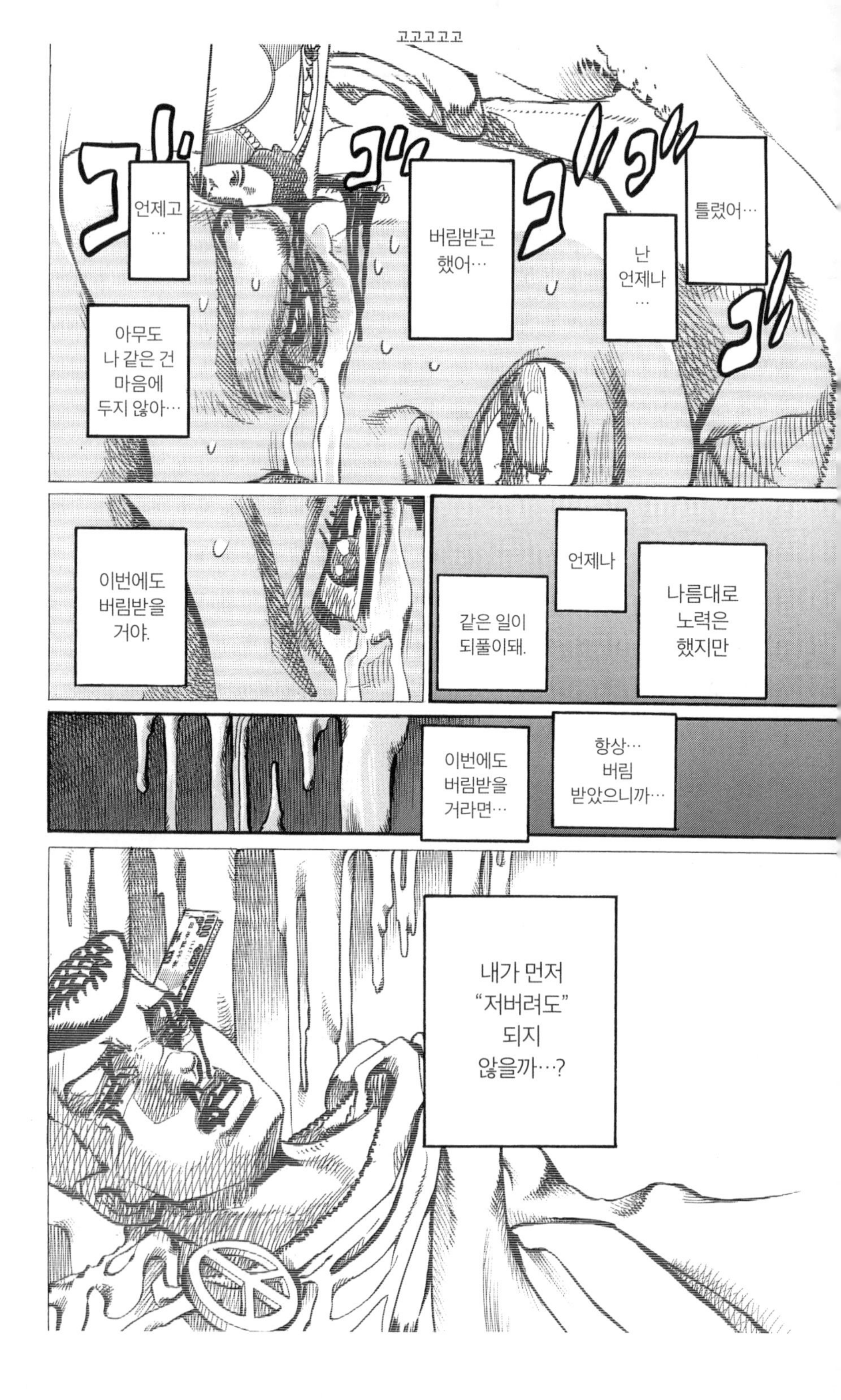
고고고고고
난
언제나
…
틀렸어…
언제고
…
버림받곤
했어…
아무도
나 같은 건
마음에
두지 않아…
언제나
나름대로
노력은
했지만
같은 일이
되풀이돼.
이번에도
버림받을
거야.
항상…
버림
받았으니까…
이번에도
버림받을
거라면…
내가 먼저
"저버려도"
되지
않을까…?

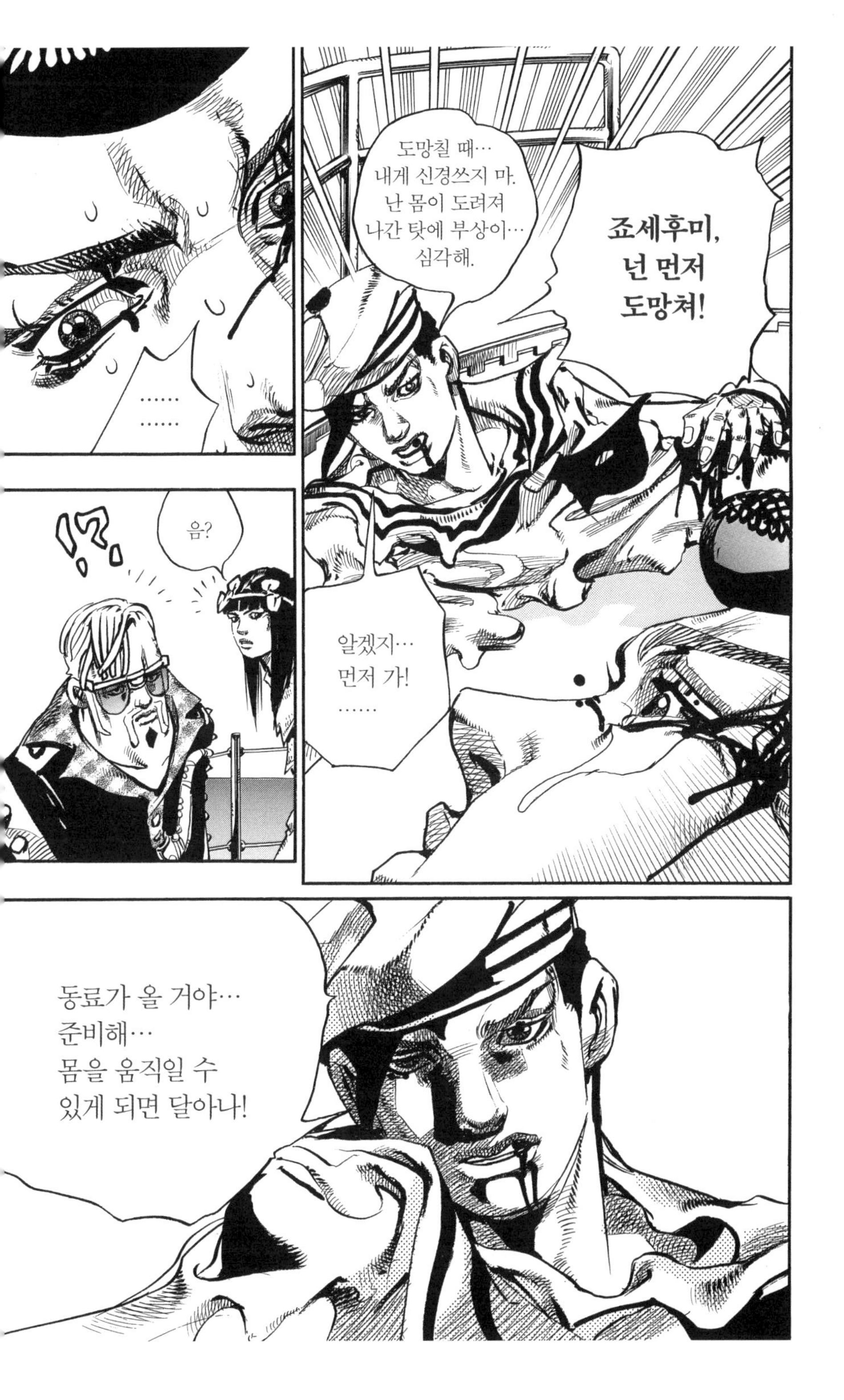
죠세후미, 넌 먼저 도망쳐!
도망칠 때… 내게 신경쓰지 마. 난 몸이 도려져 나간 탓에 부상이… 심각해.
…… ……
알겠지… 먼저 가! ……
음?
동료가 올 거야… 준비해… 몸을 움직일 수 있게 되면 달아나!

요츠유?
이 녀석…
대체
무슨 소리를
지껄이는
거지?

음~~
글쎄…
맛이
간 걸지도.

철저하게
추적하겠어.
다이넨지야마
아이쇼도 처리하고,
그밖에도 한패가 있다면
모조리
죽일
테다.
반드시
너희를
죽일
거다.
'접목'시킨
가지의 위치를
털어놓으라고?
그 반대거든!
고고고고고

너희의
'과일'은 전부
우리가
접수해주마!

……
……
어이,
어이.
고고고

두리번
휙
방금
“동료”가 온다고 말했냐?
무슨 허튼 소리냐? …너희에 관한 건 전부 조사했다고… ‘2인조’일 텐데.
‘두 명’! 그게 전부다.
단지 그뿐이지.
말은 잘하는군.
고고고
로카카카 ‘가지’의 위치도 알아내지 못한 주제에 말이야.
너희는 무엇 하나 알지 못해.
내 수를 짐작도 못 하겠지.
흐느적
흐느적
흐느적
고고

나 불렀어어?
기뻐라…
이거
셋짱 거지?

!?

덥서어어억
JOSEPHMI
'동료'
라고?
왜
'카레라'가
여기 왔지?
아냐,
틀려…
준비해,
죠세
후미!
달아나!

도도도도도
그 '여자'는 누구지?
요트 위로 끌어올려.
아니, 잠깐…!
히이이이이이이이 이이이이이이?!

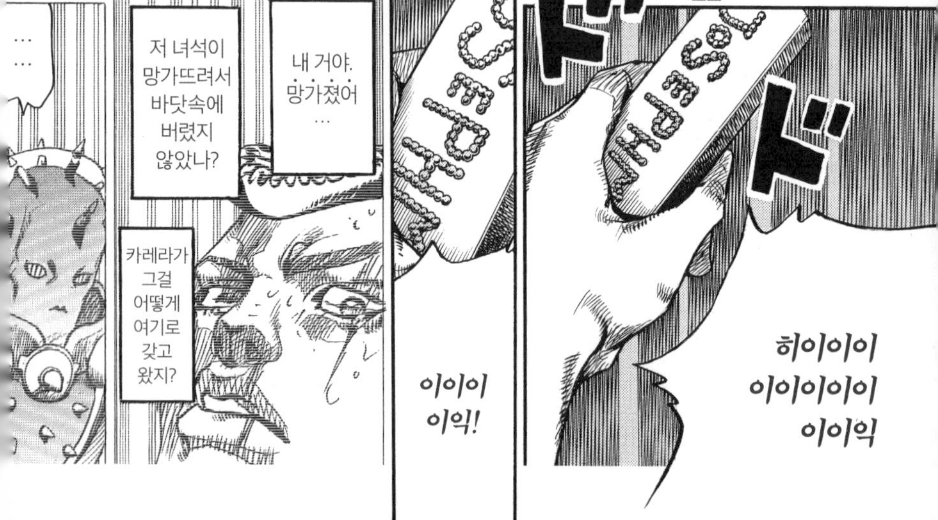
도도
히이이이 이이이이이 이이익
이이이 이익!
내 거야. 망가졌어 …
저 녀석이 망가뜨려서 바닷속에 버렸지 않았나?
카레라가 그걸 어떻게 여기로 갖고 왔지?
… …

'여자'가 손에 들고 있는 '휴대폰'은 뭐지?
ドドド
미안하다, 죠세후미…
이래저래 널 휘말리게 해버렸어…
결코 네 탓이 아냐. 넌 아무 잘못도 없어.
알겠지…
ドドド
도도도
?
어엇…
…?
바닷속 '핸드폰'이 어떻게…?
도도

요츠유,
여자
에게서
떨어져
!!

도

도도도도도

키라다!! 그건 키라의 스탠드야!!
킬러… 퀸.
'시어 하트 어택'.
도도도도도
셋짱?!
히이이익! 나…나?! 이게 뭐야?

투콰앙
고오
고오
고오

콰아아아앙

푸욱 푸욱 쨍그랑 푸욱
ドス
ドス
ドス
우욱!
파앗

풍더어어엉
촤촤촤촤
촤촤촤촤촤

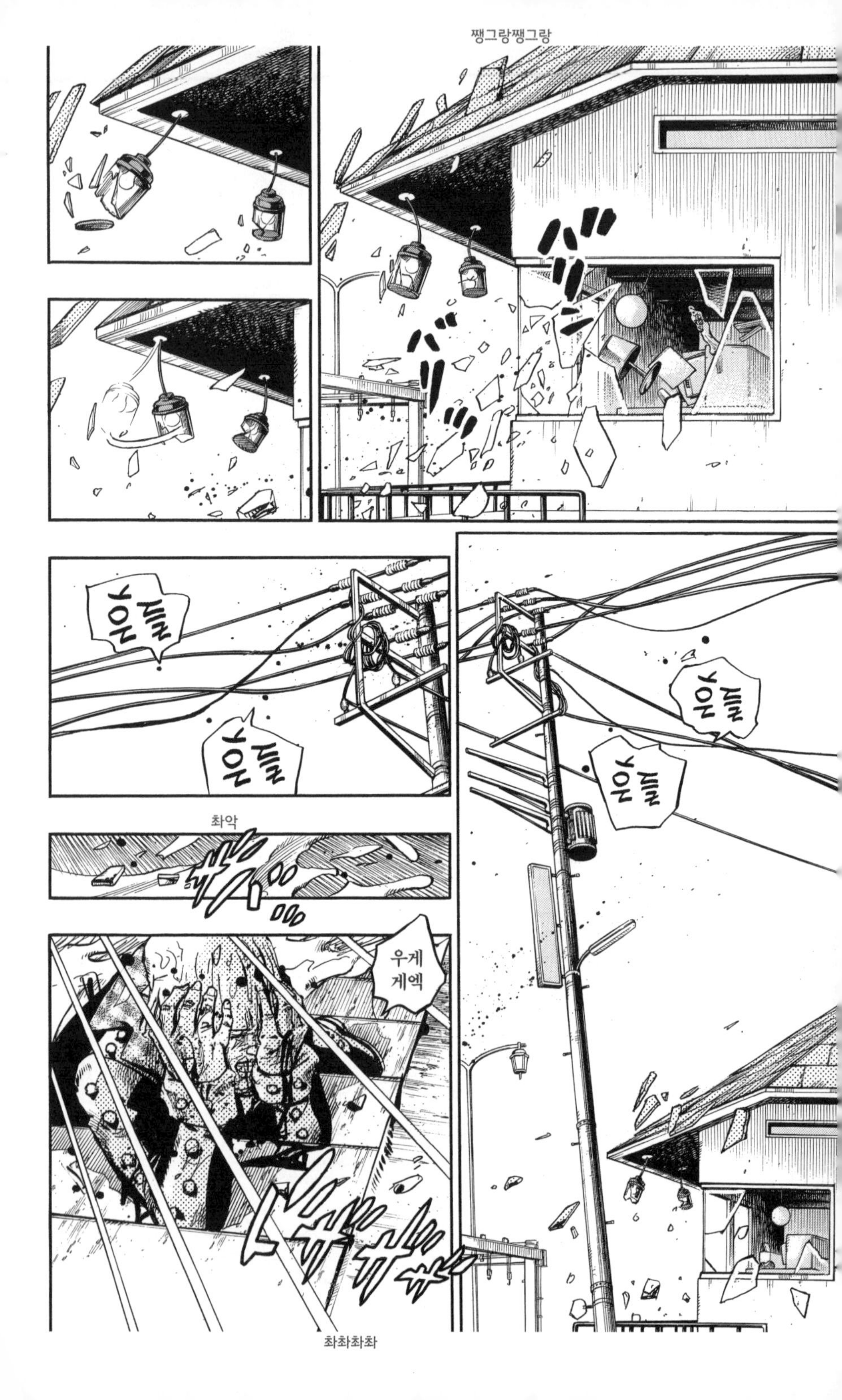
쨍그랑쨍그랑
좌악
우게 게엑
촤촤촤촤

도도도도
ドドドド
촤촤촤촤촤촤

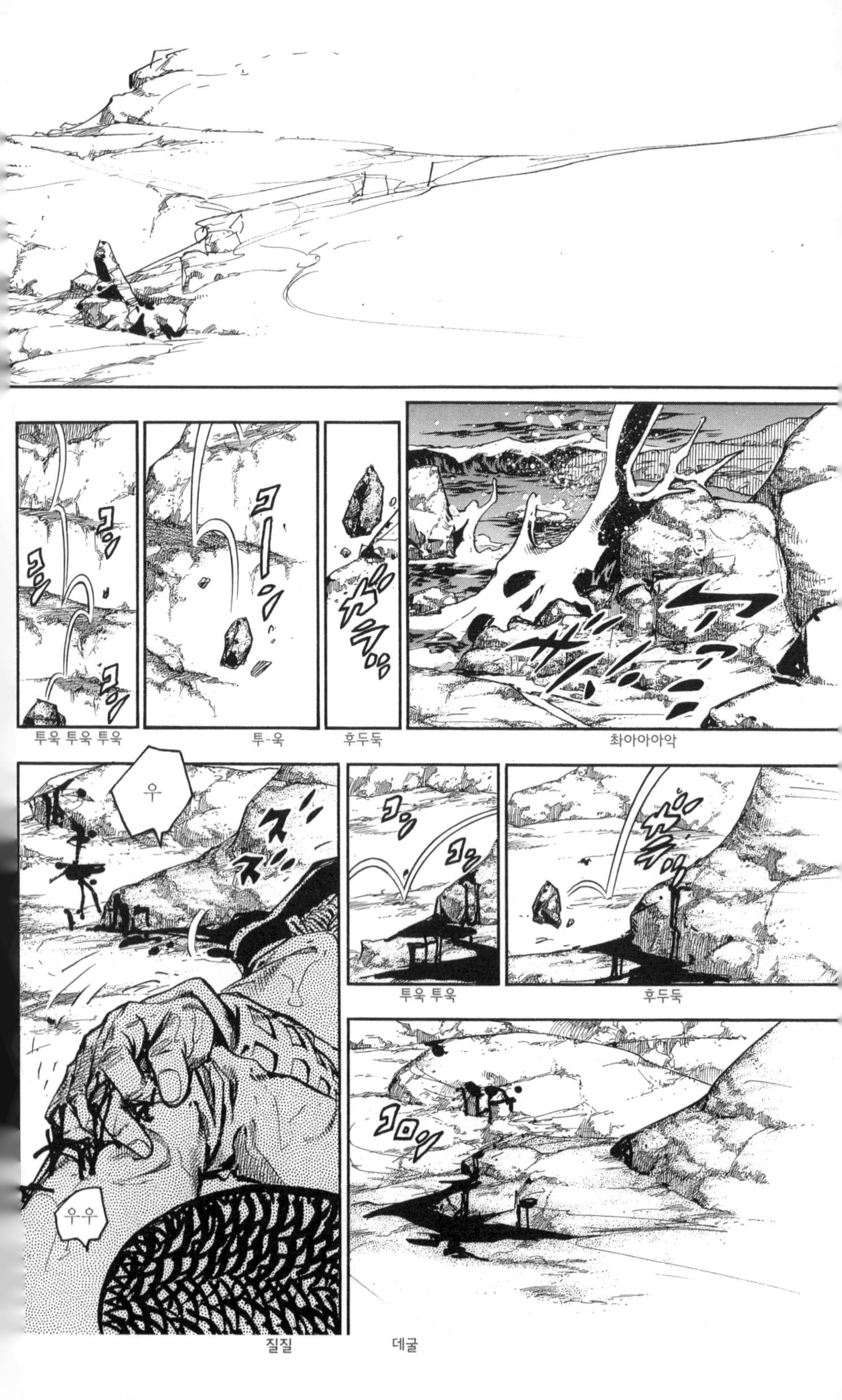
투욱 투욱 투욱
투-욱
후두둑
촤아아아악
우
투욱 투욱
후두둑
우우
질질
데굴

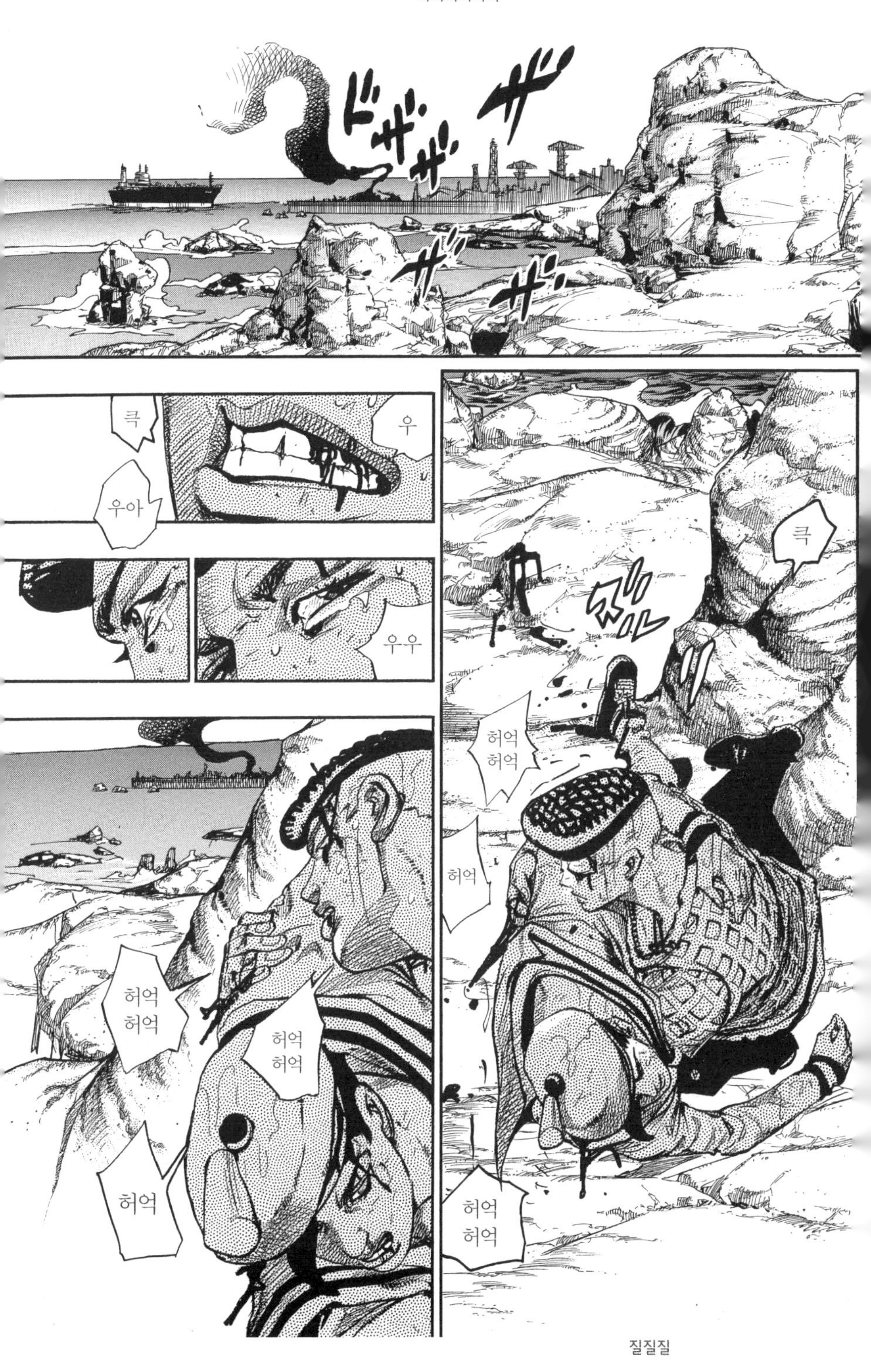

촤촤촤촤촤촤
크
허억
허억
허억
허억
허억
질질질
우
크
우아
우우
허억
허억
허억
허억
허억

괜찮아
…
이제
괜찮아.
우아
허억
허억
우우우
우웃…
허억
허억
할 얘기가
있어…
있잖아
…
지…
지금…
말하고
싶어…
아까
난 털어
놓으려고
했어.
아마 분명
털어놓았을
거야…
질질질질

허억 허억 허억 허억 허억
그때… 몇 초만 더 있었으면
요트 위에서 놈의 질문에 답했을 테지…
분명 난 털어놨을 거야.
용서해줘…

미안해.
부디 날 용서해줘.
궁지에 몰린 난 분명 털어놨을 거야…
우우
우우우
놈들이 쫓아오기 전에 '한 개' 먹자.
'한 개'…
상처는 분명 나을 거야. 우선 상처를 낫게 하자…

ド

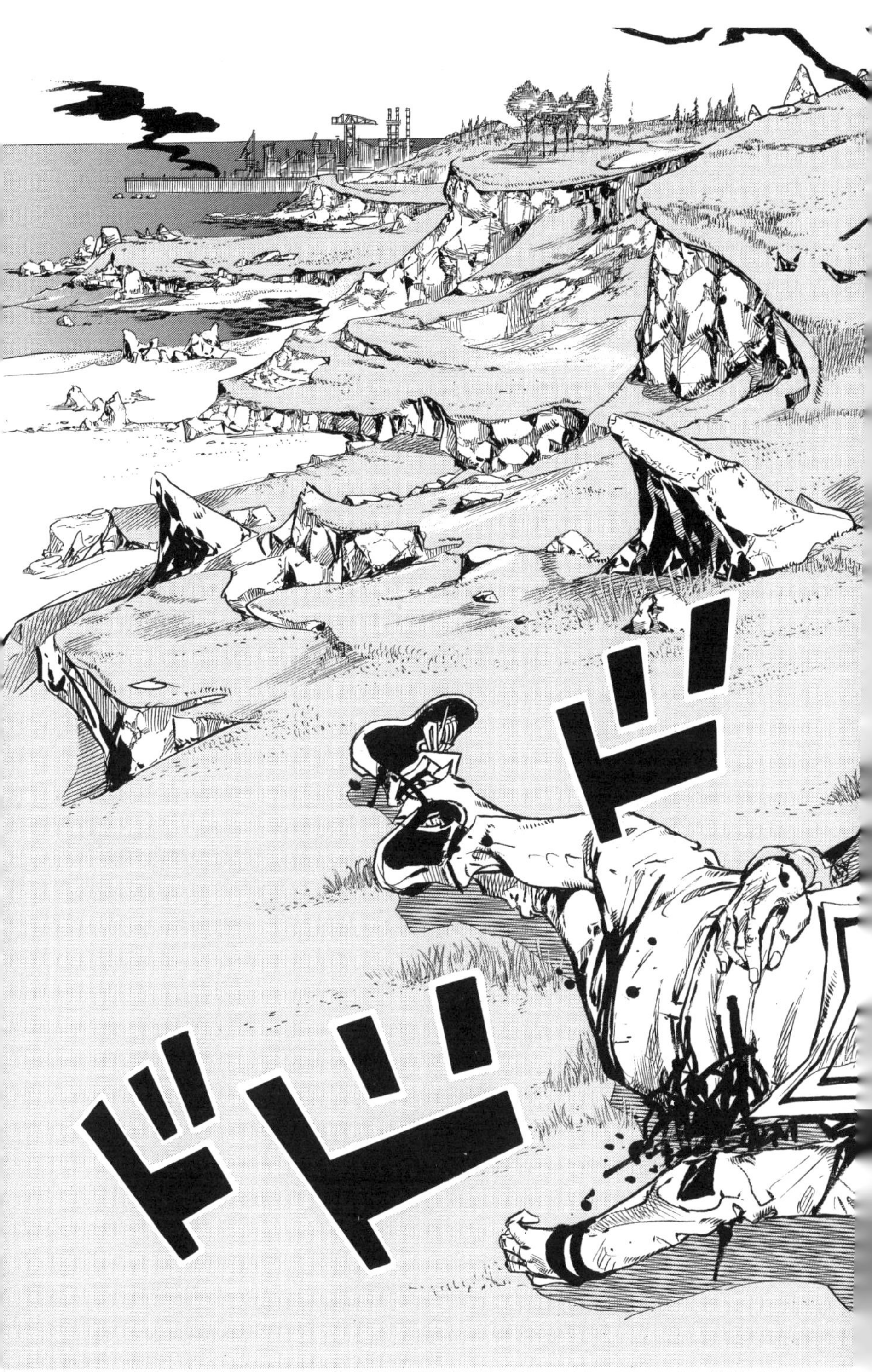

도도도도

도도도
ドドド
ガシィ
덥서억

"접목"은 성공 했어!
지금까지 해온 게 틀리지 않았다면… 상처는 반드시 나을 거야.
수확 예정일은 일주일 뒤지만 분명 이미 충분히… 익었을 테지.
뚜우욱

깨물어……
하나만 먹자.
이거 먹고 상처를 낫게 하자…

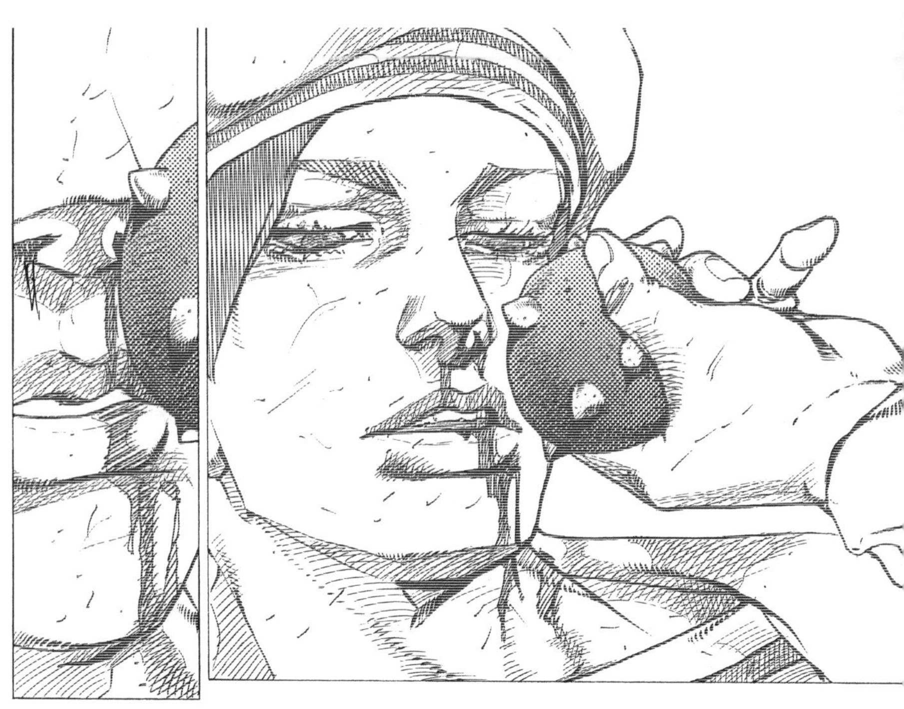

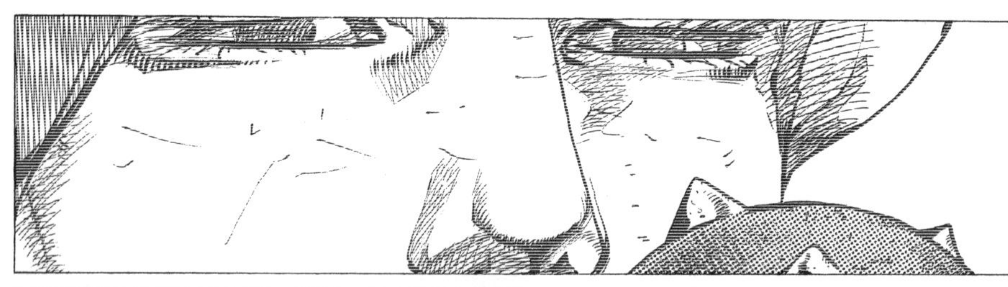

다모 씨…
기다려… 진정해…
기다려야 해…
지금 저쪽으로 가면 안 돼.
덥석

좌좌좌좌

좌좌좌좌좌좌좌
필요 없어.
우선 순위는 이제 바뀌었다.

'로카카카'는 이제 됐다…!
포기 하자.
우선 '두 사람' 이다.
그 두 사람을 '죽인다'… 놓치지 마라…
그 열매와 나무는 더이상 신경쓰지 말고.
최우선 순위는 '죽이는' 거다.

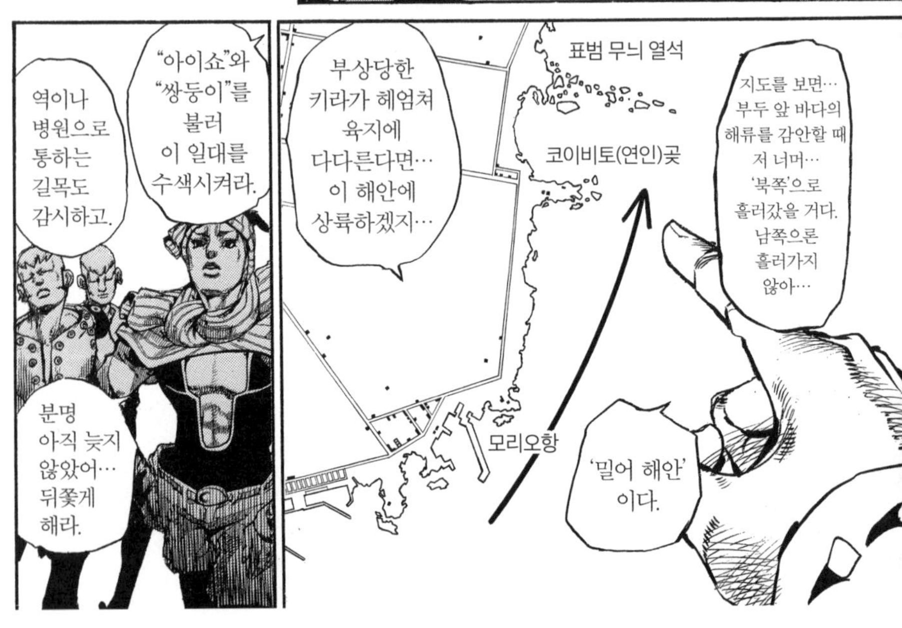

지도를 보면… 부두 앞 바다의 해류를 감안할 때 저 너머… '북쪽'으로 흘러갔을 거다. 남쪽으론 흘러가지 않아…
'밀어 해안' 이다.
표범 무늬 열석
코이비토(연인)곶
모리오항
부상당한 키라가 헤엄쳐 육지에 다다른다면… 이 해안에 상륙하겠지…
"아이쇼"와 "쌍둥이"를 불러 이 일대를 수색시켜라.
역이나 병원으로 통하는 길목도 감시하고.
분명 아직 늦지 않았어… 뒤쫓게 해라.

좌좌좌
좌아아
좌좌좌
부들
부들
허억 허억 허억
그리고 무엇보다도… 키라의 간은 아까 깊이 도려내뒀다.
그 정도 부상이면…
상처를 낫게 하려고 '로카카카'를 먹으러 갈지도 모르지…
만약 로카카카 열매가 어딘가에 있을 경우… 깊은 상처를 낫게 하려고…
두 사람은 상륙한 뒤 그리로 갈지도 몰라…

좌아아 부들부들

왜 그래?
깨물어
먹으라고.
……
먹으라니까.
상처가 나으면
움직일 수
있어…
몸
어딘가와
'등가교환'
되겠지만
상처는
나을 거야.

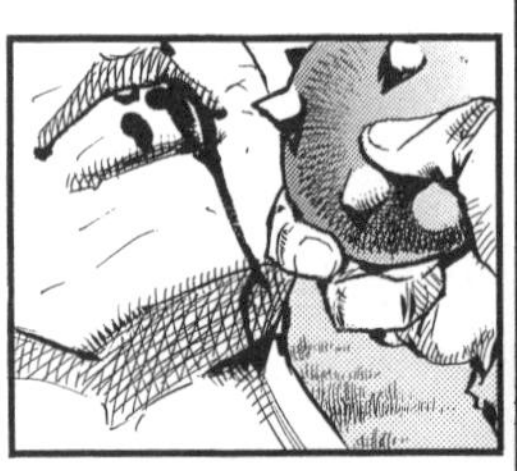

고고고 고고고고

우우웃
부…
부탁이야…
우우
우… 머…
먹으래도…
고고고
고고
먹어줘…
한 개만
먹자…
제발.
크…
우우.
우우
…
우웃
…
콰직

도도도도
ドドド
내가
먹여줄게!

덜커억
'소프트&
웨트'의
'비눗
방울'로…
부들부들
부들
부들

#053 비타민C와 킬러 퀸 ④

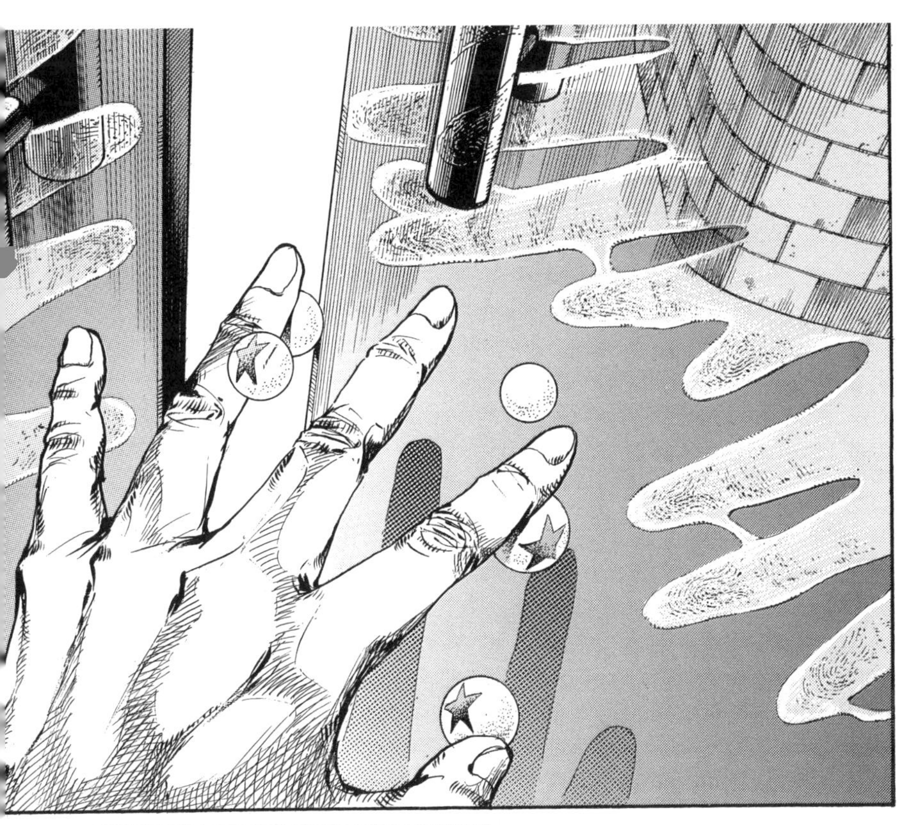

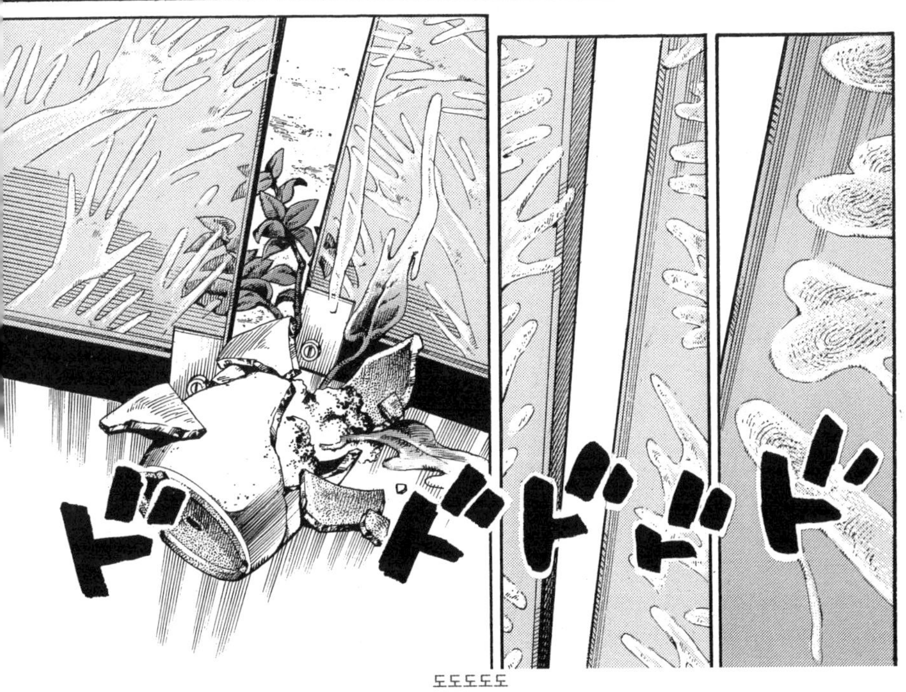

도도도도도

호물호물
파아앗
미끄덩

호물호물
아아앗
아앗
도도도도

도도도도
죠스케?! ……
우우… 아앗!
이건…

흐물흐물 흐물

하토짱…
지금…! 허락해…줬으면 하는 게 있어.
도도도도
…… ……
흐물흐물

…거실에 있는 남자를…
죽여도 될까?
허락해 줬으면 해.

……

거,
거실에 있는 남자라니 …?

하토짱의 남자친구 말이야!
놈을 죽이지 않으면 모두 몰살당해.
놈은 그럴 작정이야. 그럴 작정으로 이 집에 왔어.

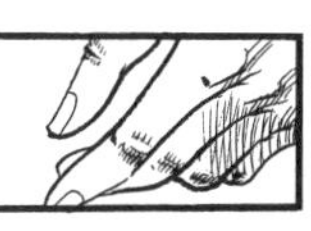

문이나 벽을 건드리면 안 돼!

흐물 흐물흐물

코팅돼서
엄청나게
미끄러워
…
결계
같은 게
쳐져
있어…
이
유리문은
열 수 없는
모양이야
…
파괴
하는 것도
불가능해…

밀거나
지문 같은 것을
밟으면 안 돼…
흐물흐물하게
녹아버려.
하토짱의
남자친구가
'노리는' 건…
이 히가시카타가
저택 전체를
사정거리로 삼는
'스탠드 능력'이야.

도도도도
나야.
아마도
내가 기억하는 시점 이전의 날 "찾아" 이 집에 온 거야!
그리고 일가 몰살.
무엇 하나… 기억나진 않지만…
난 앞으로 나아가고 싶어!
하토짱… 허락해줘…

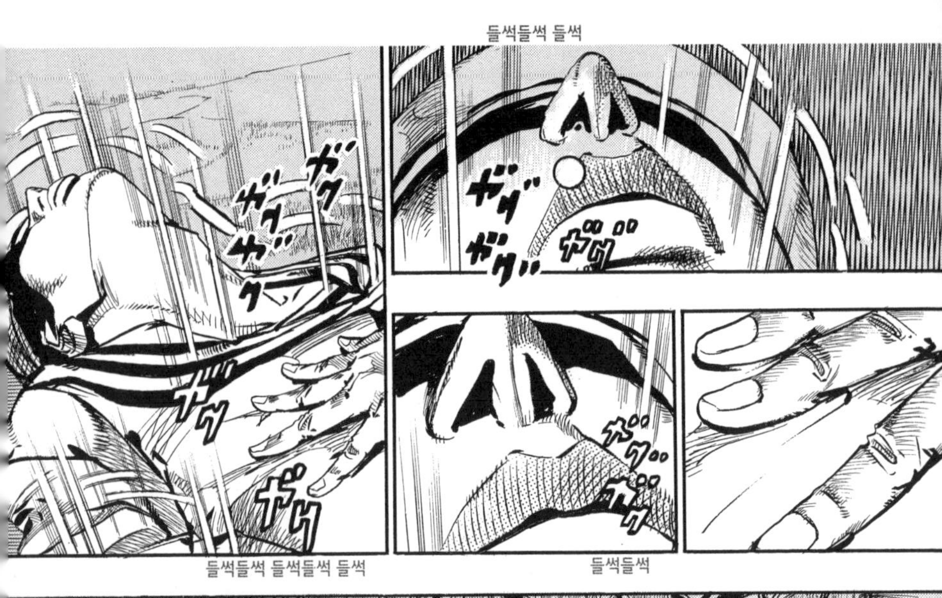
들썩들썩 들썩
들썩들썩 들썩들썩 들썩
들썩들썩

들썩들썩 들썩들썩 들썩들썩

스르르

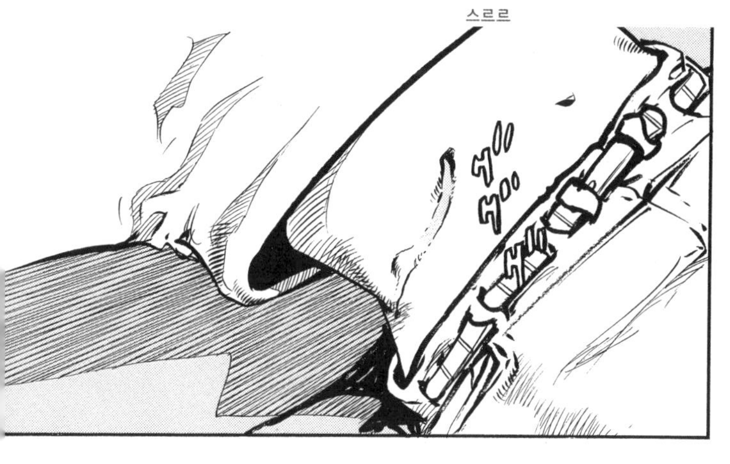

상처가…

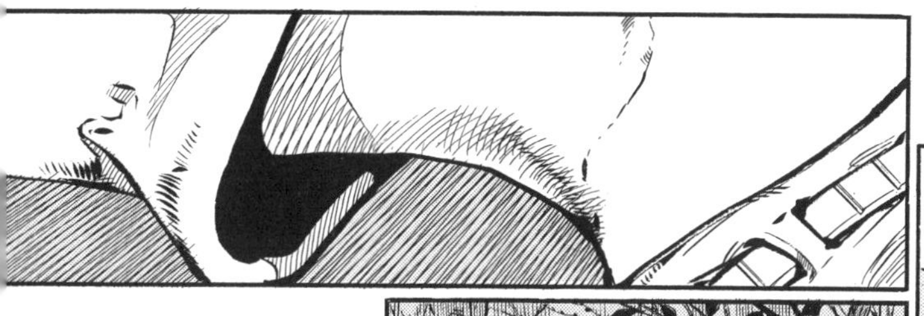

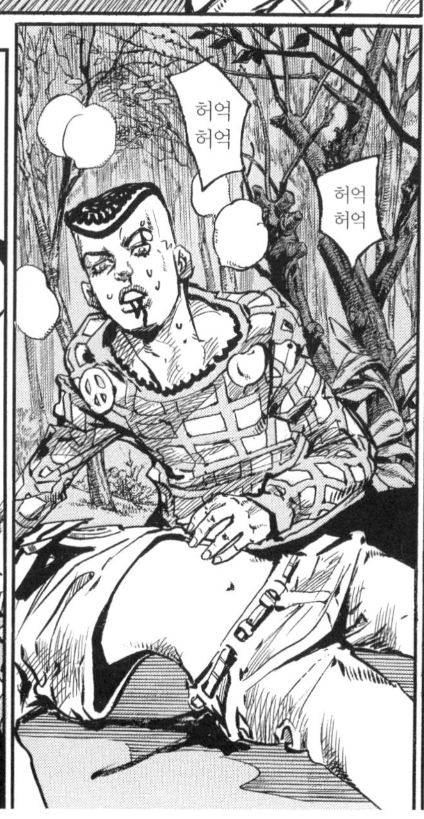
허억
허억
허억
허억
상처가
아물었어…
나은
거야…

들썩들썩 들썩

허억
헉
헉
허억
허억
허억
허억

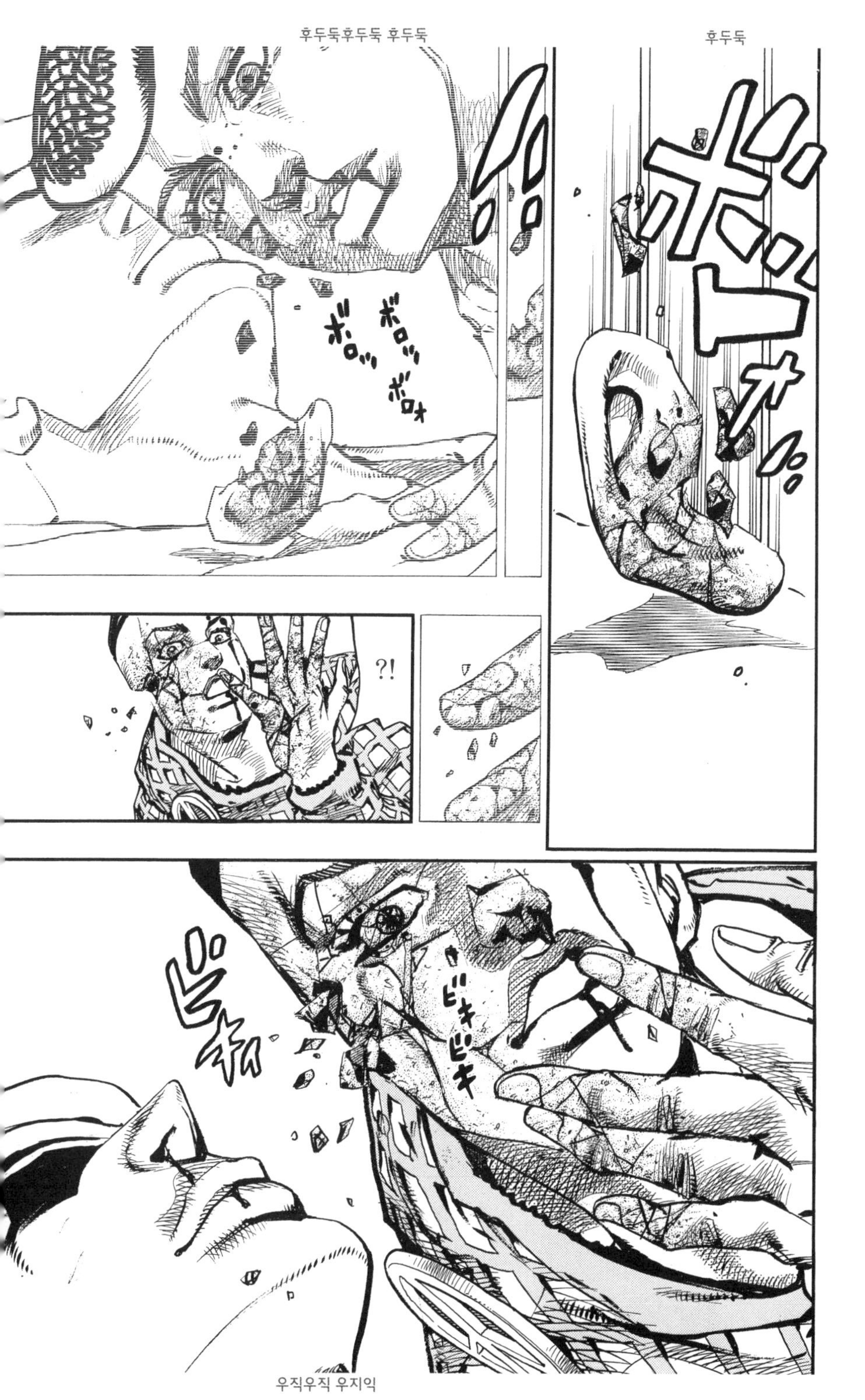

후두둑
후두둑후두둑 후두둑
ボロッ
ボロッ
ボロォ
?!
ビキビキ
우직우직 우지익

허어억
허억
허억
허억
허어억
허어억
허어억
허어억
허어억
내…
내 몸과
등가교환
됐나봐…
우직우직 우직우직

술렁술렁 술렁
후두둑후두둑
허억
허억
허억
허억
허억
허억
허억
사…
상처는
나았어.
'등가교환'.
술렁 술렁술렁
그 야구선수
와는 상황이
좀 다르지만…
수…
숨 좀
쉬어봐…
…어떻게
된 거야?
……
아…
아무튼
도려져
나간 상처가
사라졌으니
나은 거
겠지…
상처는
나았어
…
후두둑후두둑

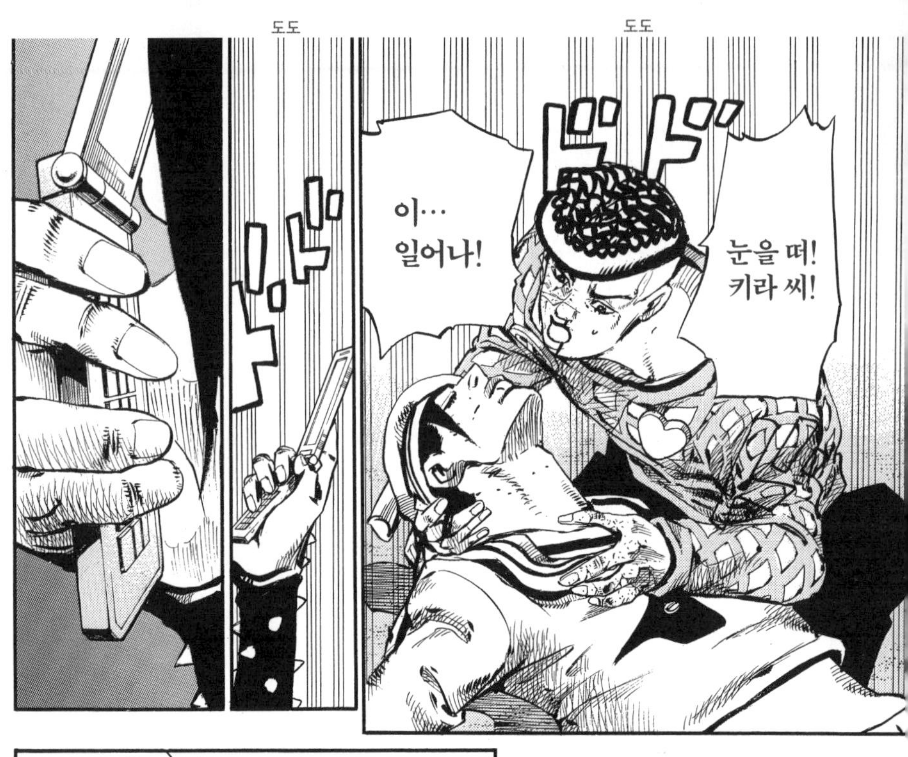
도도
도도
눈을 떠!
키라 씨!
이…
일어나!

지금
가고 있어.
미처
깨닫지
못했는데,
요트 폭발
뒤에…
여진도 있었던
모양이더군…
크게
흔들렸었나?
쓰나미
경보가
발령됐어.
쏴아아 쏴아아

모리오초는 진도3… 그랬군… 무섭네—
지금부터 나도 '벽의 눈'을 타고 넘어가 그쪽으로 가지.
아니, 날 기다리지 않아도 돼…

다모 씨의 말대로였어.
절벽 맞은편에 있어… 키라 쪽은 꽤나 중상을 입은 모양이야.
분명 거기서 로카카카도 찾을 수 있겠지.
가라.

정확한 위치는 '한 그루 소나무'를 기준으로 그 너머에 있다.

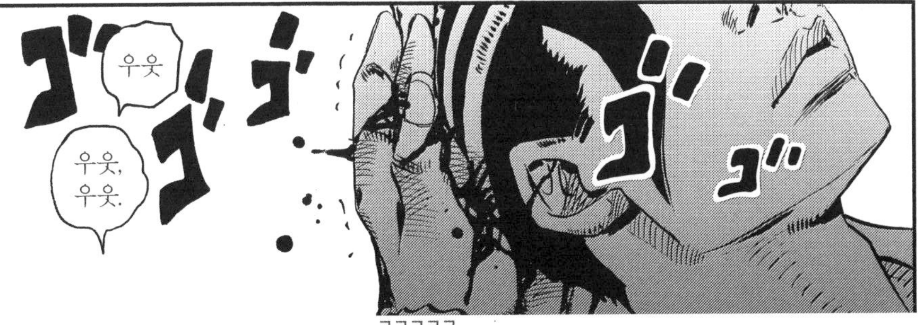
우웃
우웃, 우웃.
고고고고고

고고고

후두둑후두둑

아아
…
우아아
아아
아아
고고

우…
우우.
아
크!
고고고

고

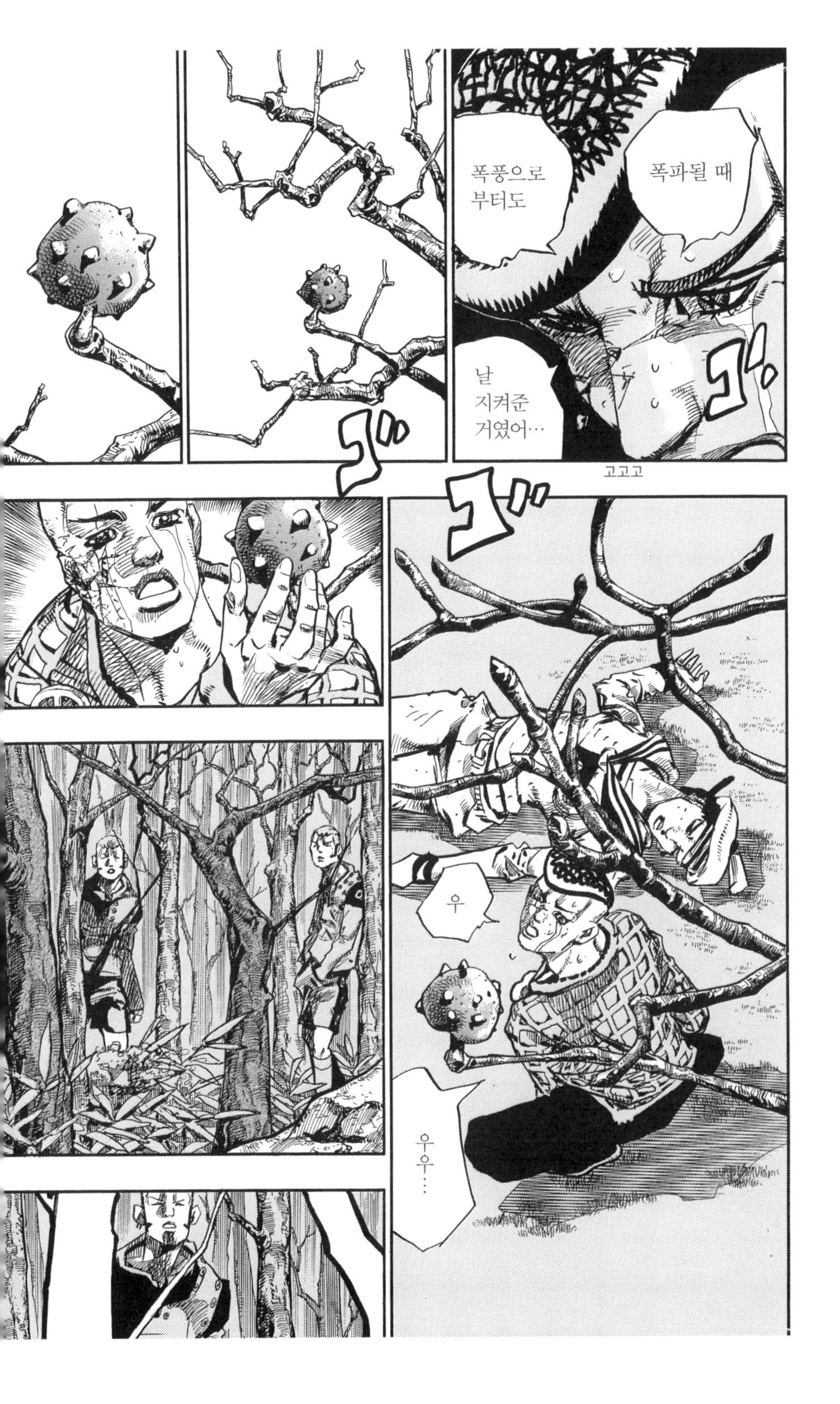
폭파될 때
폭풍으로 부터도
날 지켜준 거였어…
고고고
우
우우…

허억 허억 허억 허억 허억

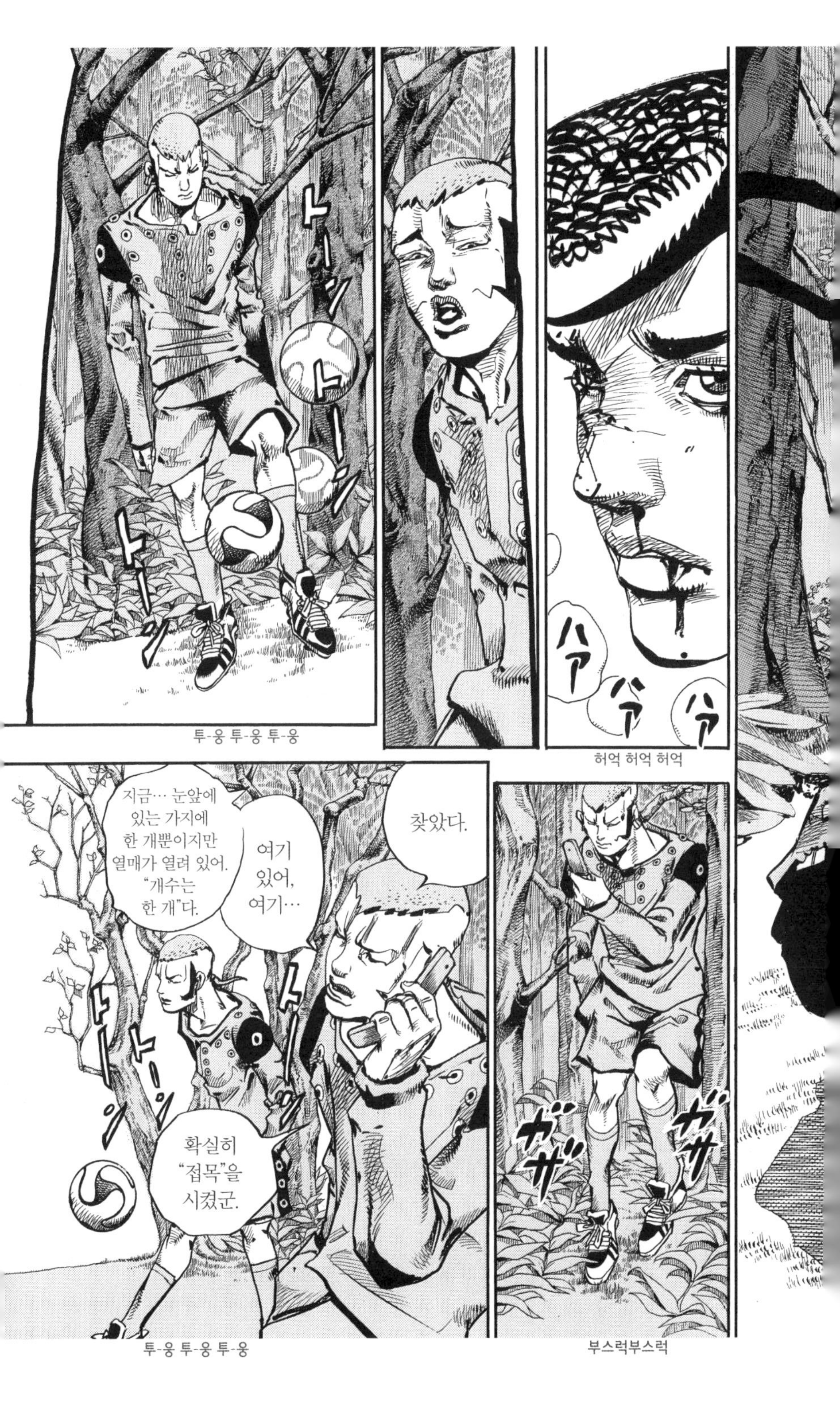

허억 허억 허억
투-웅 투-웅 투-웅
부스럭부스럭
찾았다.
여기 있어, 여기…
지금… 눈앞에 있는 가지에 한 개뿐이지만 열매가 열려 있어. "개수는 한 개"다.
확실히 "접목"을 시켰군.
투-웅 투-웅 투-웅

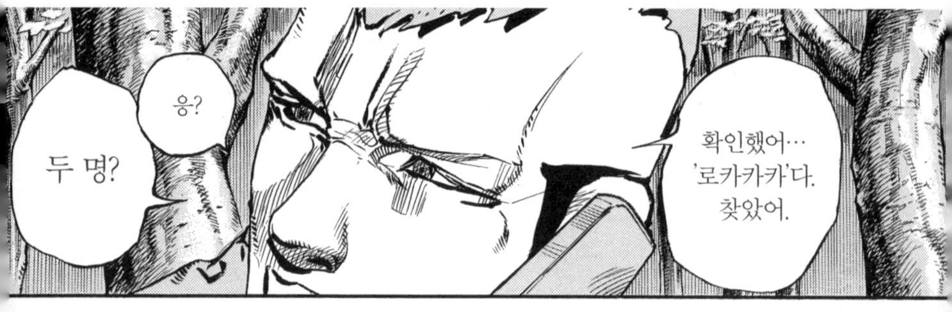
확인했어… '로카카카'다. 찾았어.
응?
두 명?

투-웅 투-웅

아아… 두 명 있어.
눈앞에 죠세후미가 있고…
키라 쪽은 글쎄…? 이미 죽은 것 같은데.
지금부터 확인할 거지만 열매는 '한 개'밖에 없어. '한 개'는 키라에게 먹인 모양이군.
딸깍

투-웅 투-웅

투-웅
음…

투-웅투-웅투-웅

투-웅

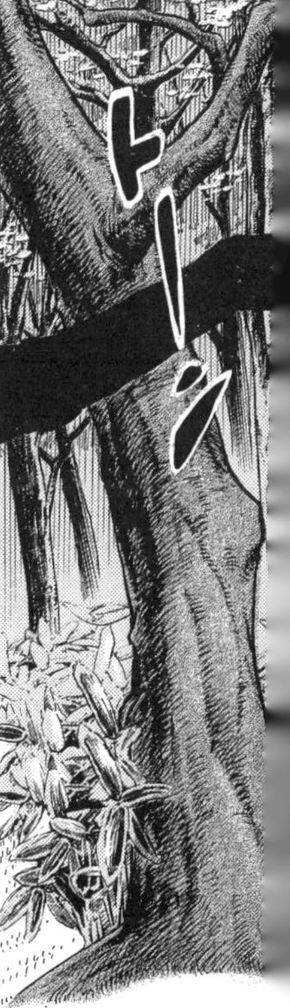
투-웅

투-웅투-웅투-웅투-웅

투웅투웅투웅
투웅

뚜슈우

둥실 둥실둥실
엥?
둥실 두둥실
뭐야?!
둥실
크악!
뿌지이이익
파앗

우지끄으은
오오오오
오오오
오오!
꾸엑!
앗!
투콰악 투콰악

오랏
오랏
오랏
오라앗!
이자식!!
푸읍
덥서어어억
투콰악 콰악 콰악

부글 부글부글
부글
파앙 파아앙
파콰아-악
푸-하

오오오오오오오오오
오오오
오오
두두두 두두 두두두 두두 두두두
ズドド
ズドド
ズドド
ズド
ズドド
오라오라오라
오라오라오라
오라오라오라오라
오라오라오라오라오라

부우웅
콰지이익

도도도도
엇
털썩 털썩
도도
흔들흔들 흔들
우직
말도 안 돼…
덜컥
흔들흔들 흔들

술렁술렁
술렁술렁

술렁술렁 술렁술렁 술렁

술렁
술렁술렁 술렁
'등가교환'.
상처는 낫게 하지만…
…어찌 된 영문인지 키라 씨의 몸에 닿은 내 팔이나 오른쪽 귀가
교환 됐어…
접목으로 새롭게 맺힌 열매기 때문일까…?
아니면…
융기한 이 벽의 눈 일대의 특수한 에너지 같은 것의 영향 때문일까…?
콰직

동실동실 동실동실

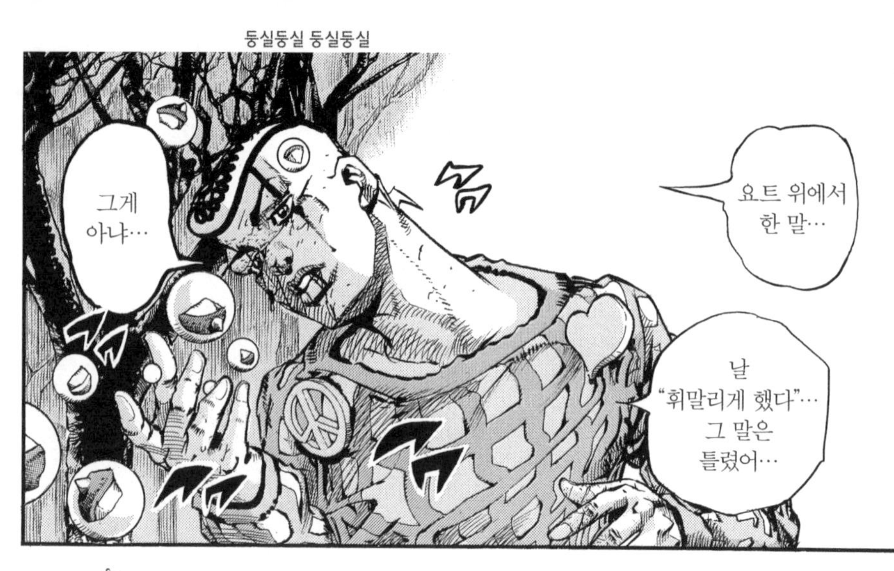

도도도

두둥실

도도
쭉
마음속에서
그려온 것이
있었어.
그건 분명
내 '행복의
이미지'야.
내 중요한
'행복의
이미지'야.
만약 '과일'이
있다면 반드시
손에 넣자고
마음먹었어.
홀리 씨를
위해…
홀리 씨에게
조금이라도
도움이
되는 게…
정말로
중요한 일
이니까.
도도
아아아
부아아아아아아

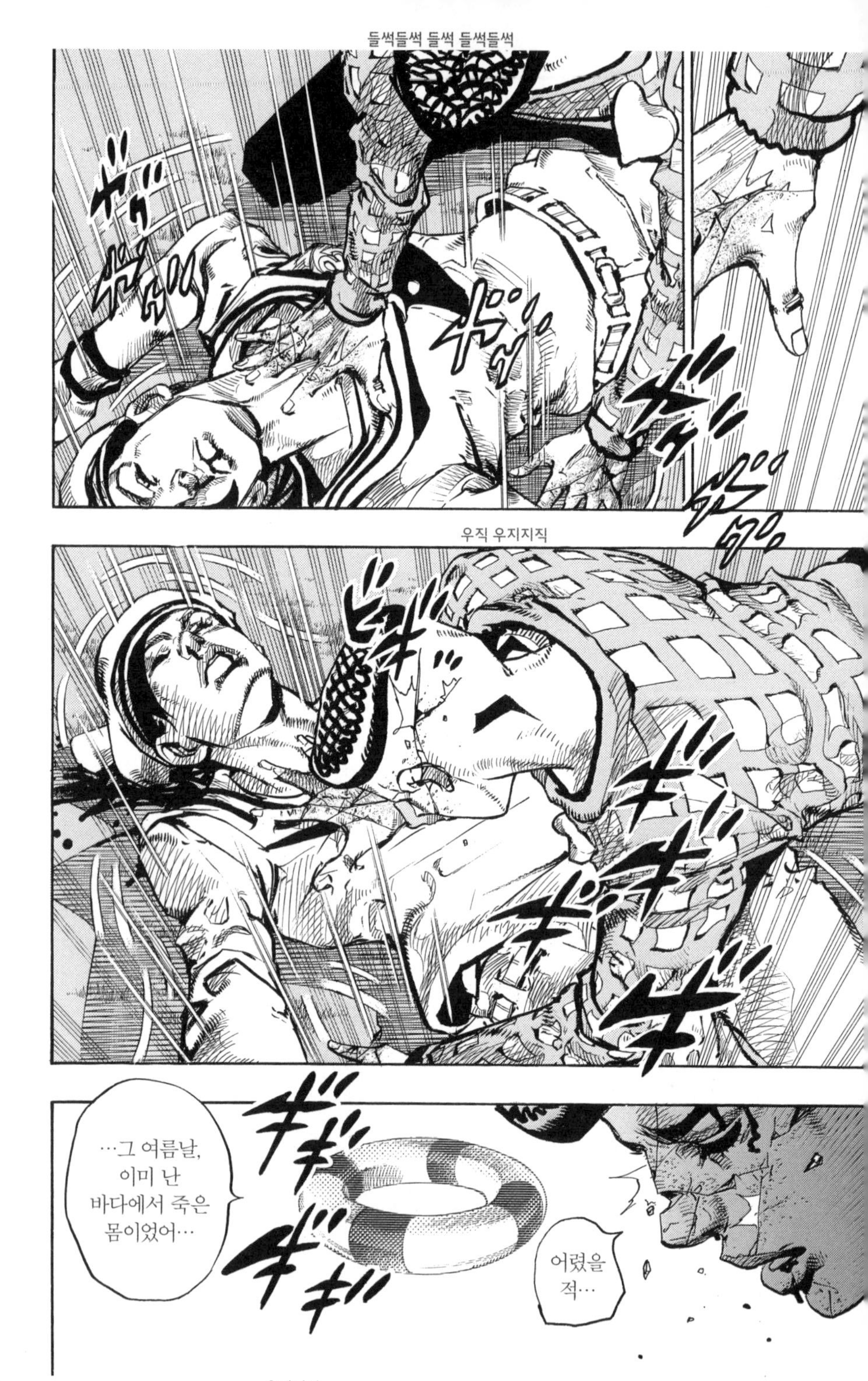
들썩들썩 들썩 들썩들썩
우직 우지지직
…그 여름날, 이미 난 바다에서 죽은 몸이었어…
어렸을 적…
우지지직

우지직
암초에 부딪히거나 물에 빠져서 살아남지 못했을 거야.
쏴아아
바다에 갔던 그날부터 …
처음부터 난 어디에도 존재하지 않았던 거야…
쏴
그러니까 살아야 하는 건 …
내가 아니야.
홀리 씨의 아이… 당신이야…
당신에게 줄게…
"등가교환" 해야 한다면…
우지지지직

우직 우직 우직

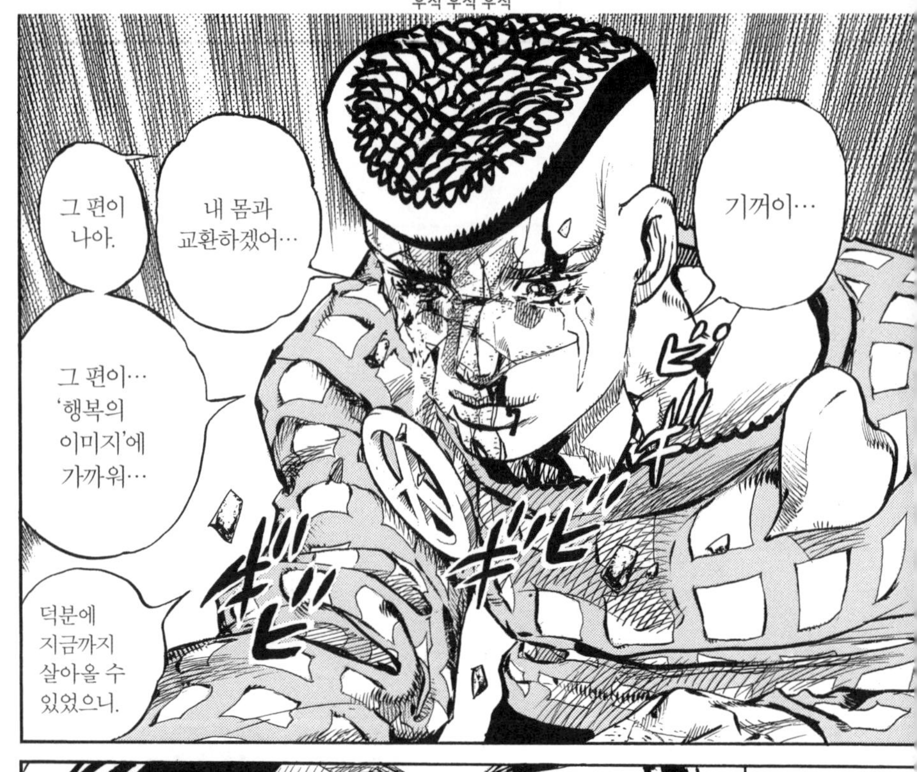
기꺼이…
내 몸과 교환하겠어…
그 편이 나아.
그 편이… '행복의 이미지'에 가까워…
덕분에 지금까지 살아올 수 있었으니.

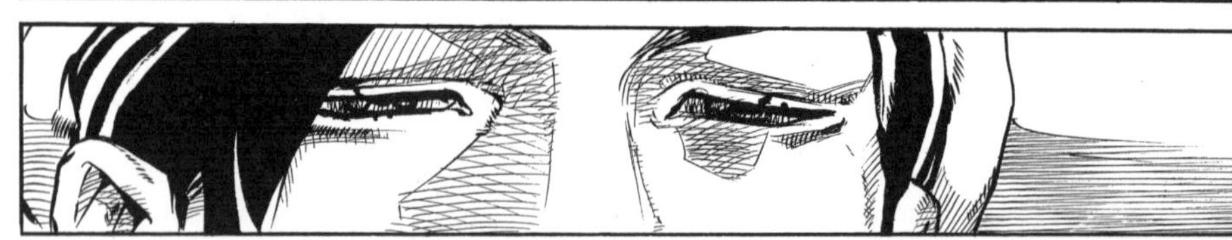

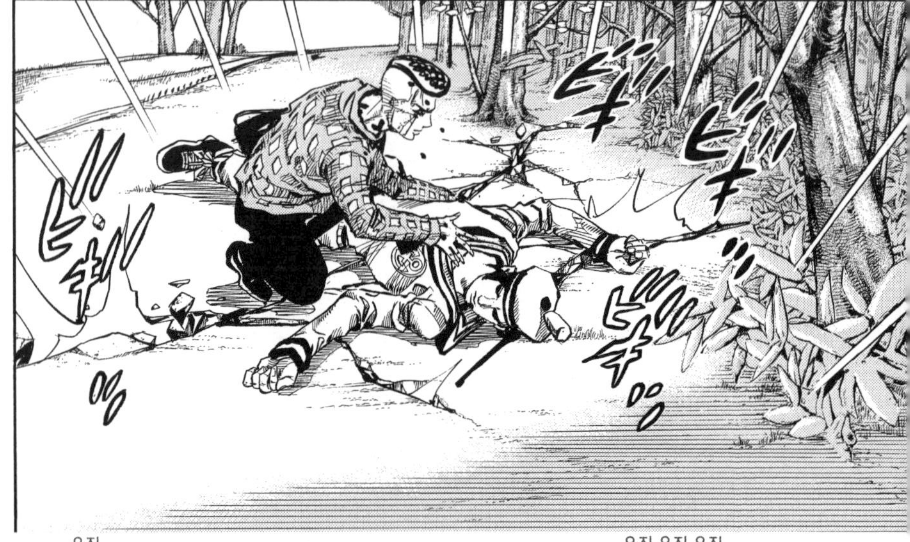
우직 우직 우직
우직

흔들흔들
아직 로카카카의 가지는 무사해.
홀리 씨를 위해…
흔들흔들 흔들
당신이 다시 길러줘…
츠루기…
거기서 매미 시체를 모아놓고 뭐하는 거냐?
술렁술렁
…… ……
술렁술렁

흔들 흔들흔들
다들
네 편이다.
할아버지
…
나무들이
막 걸어
다녀…
뭔가
걱정이라도
있니?
넌
아무것도
불안해
할 거 없어.
그래서
위에서
벌레가
떨어져.

그건 지면의
단층이
움직이고 있기
때문이야.
여진으로
'벽의 눈'이
계속
융기하고
있어.
이 근처에서
놀지 말렴…
가까이 와선
안 된다.
흔들흔들
집에
가자.
그 매미는
갖고 가게?
버리렴.
흔들
우직 우직
흔들 흔들흔들

덜컥
흔들흔들
우직
우직 우직

쓰나미가
온다…
지금 이
벽의 눈
근처에
있는 건
위험해.
제길…
상황이
좋지
않아…
우지익
우직 우직
흔들흔들
촤촤촤촤촤촤

우지직 우지직 우지직 우지직

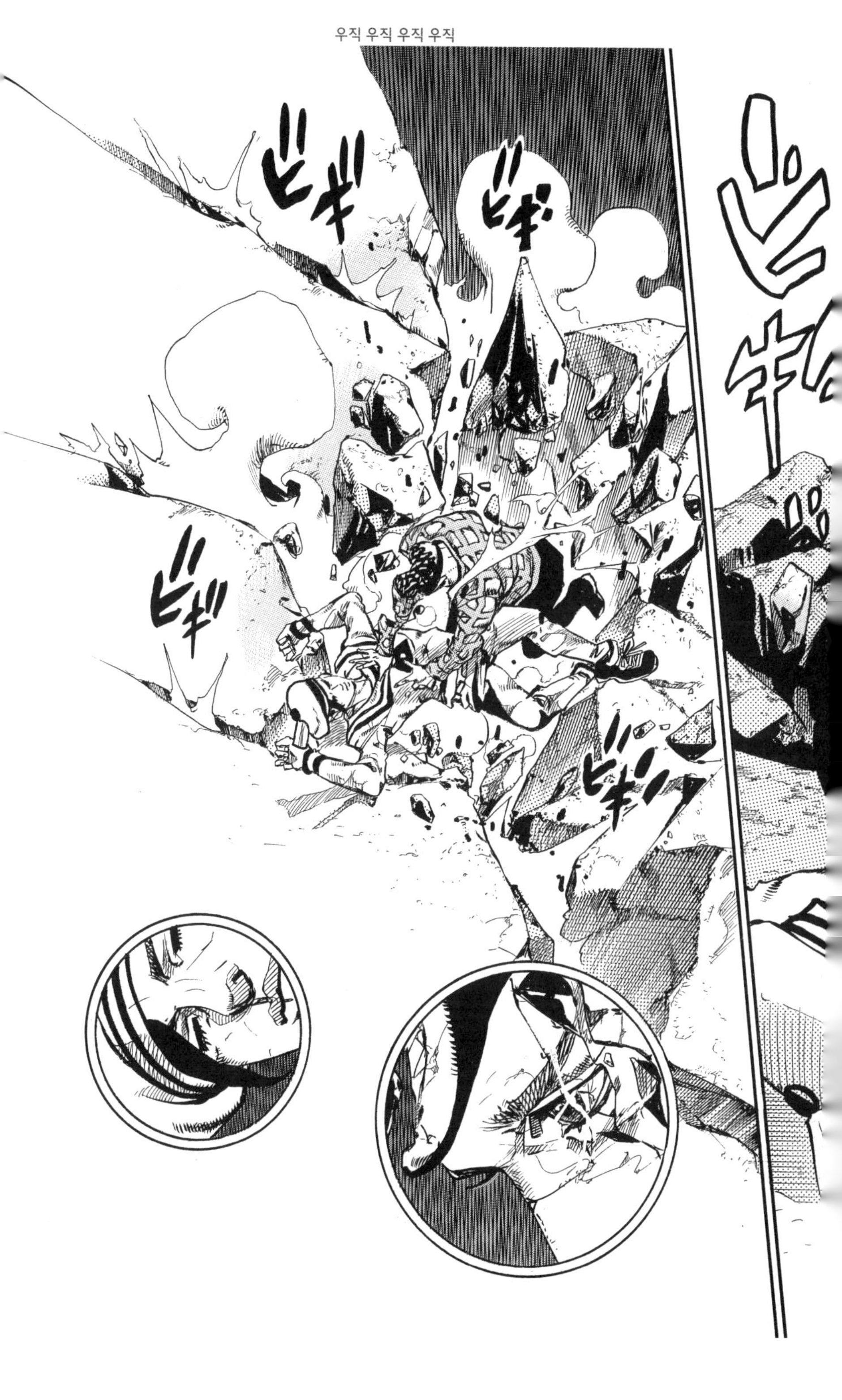
우직 우직 우직 우직

도도도도도도도

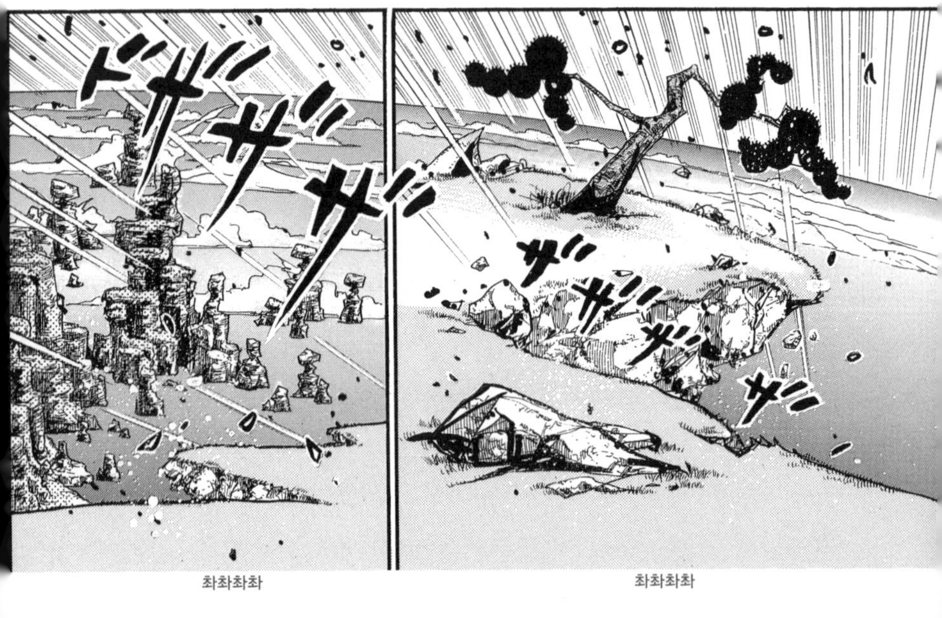
촤촤촤촤
촤촤촤촤

덜커억
ドドド
ゴバッ
バッ
술렁술렁 술렁
ザワザワ
ザワ
술렁술렁
ザワ
ザワ
콰직 콰직
バッ
バッ
술렁술렁
ザワザワ

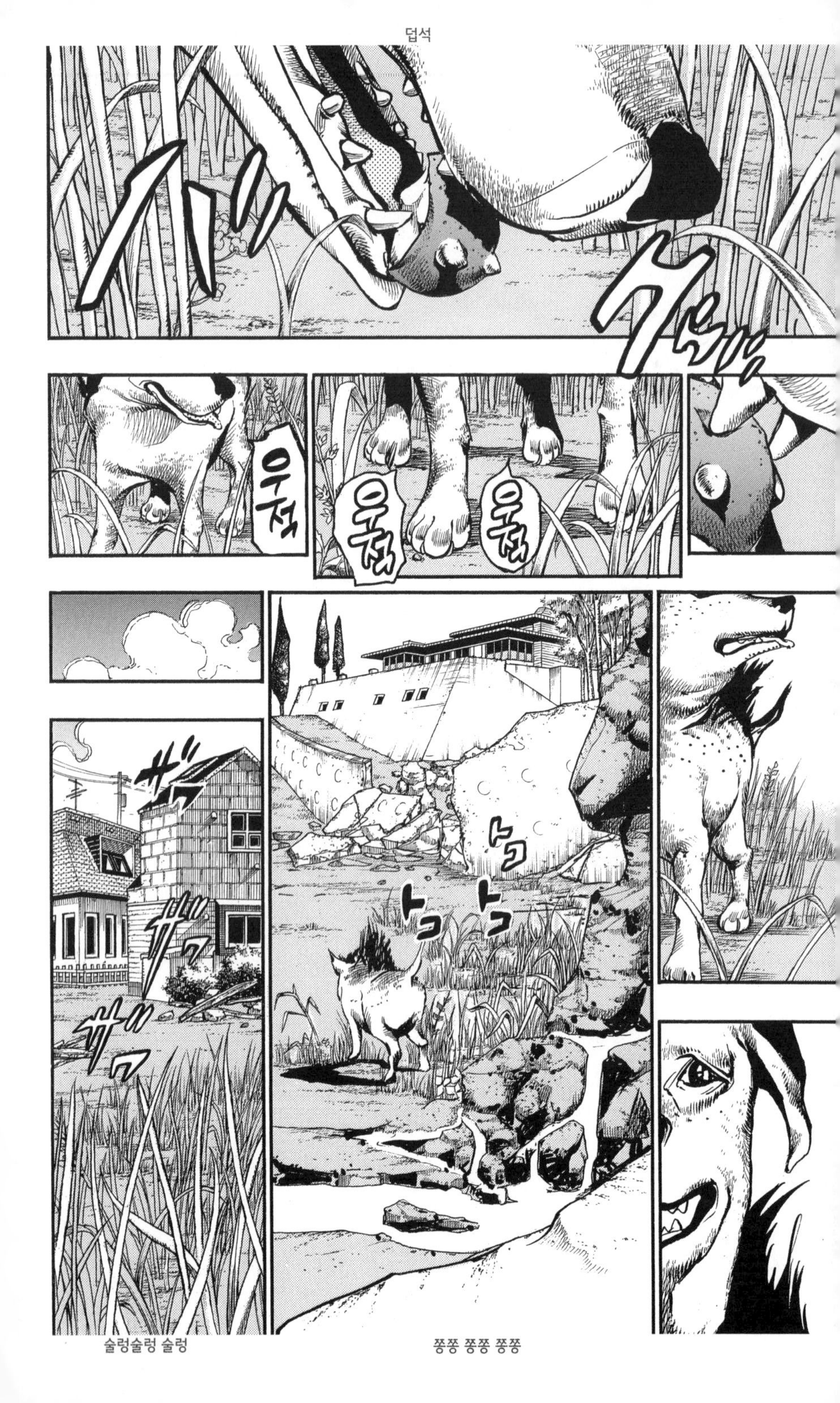
덥석
우적
우적
우적
술렁술렁 술렁
쫑쫑 쫑쫑 쫑쫑

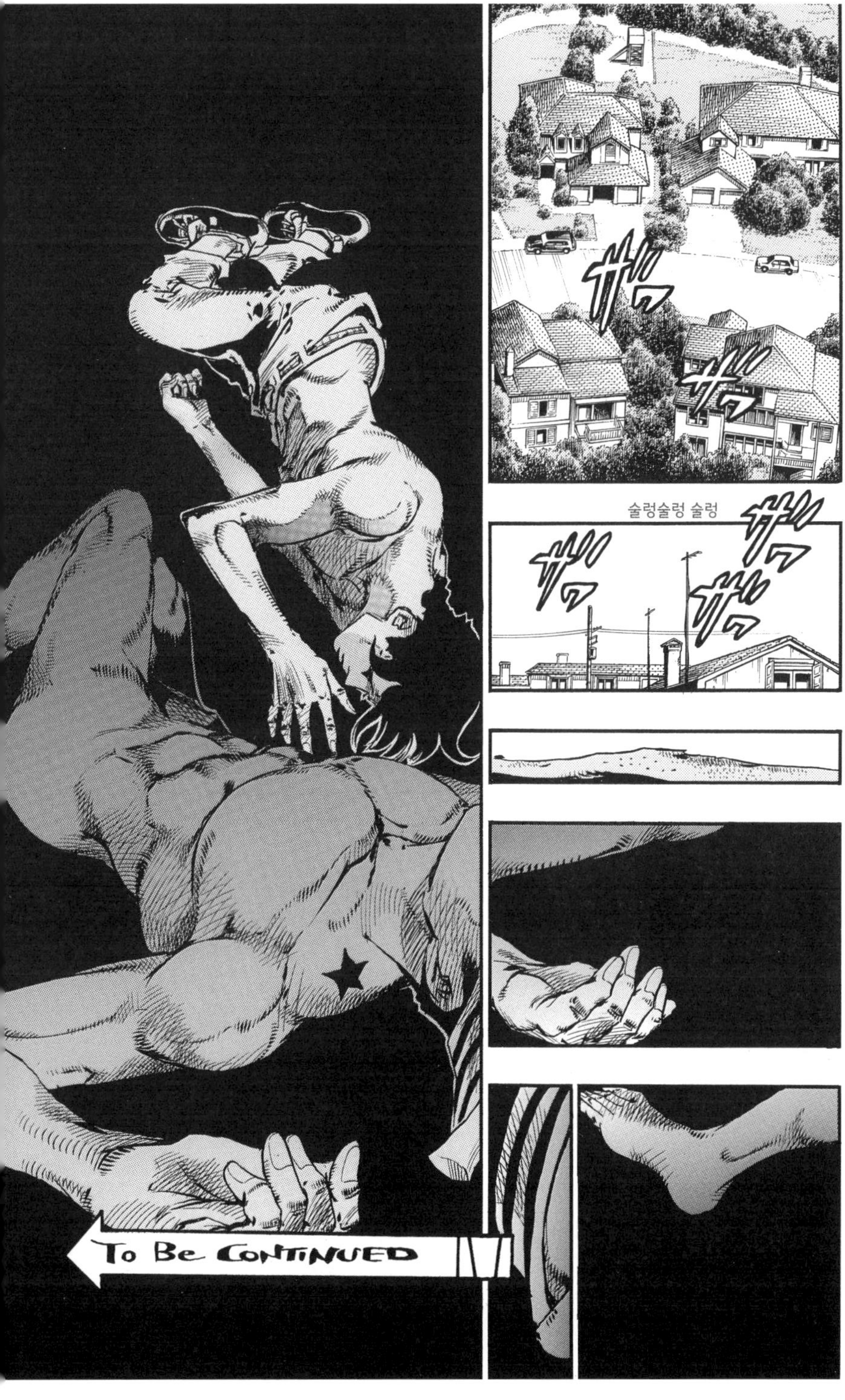

술렁술렁

술렁술렁 술렁

To Be Continued

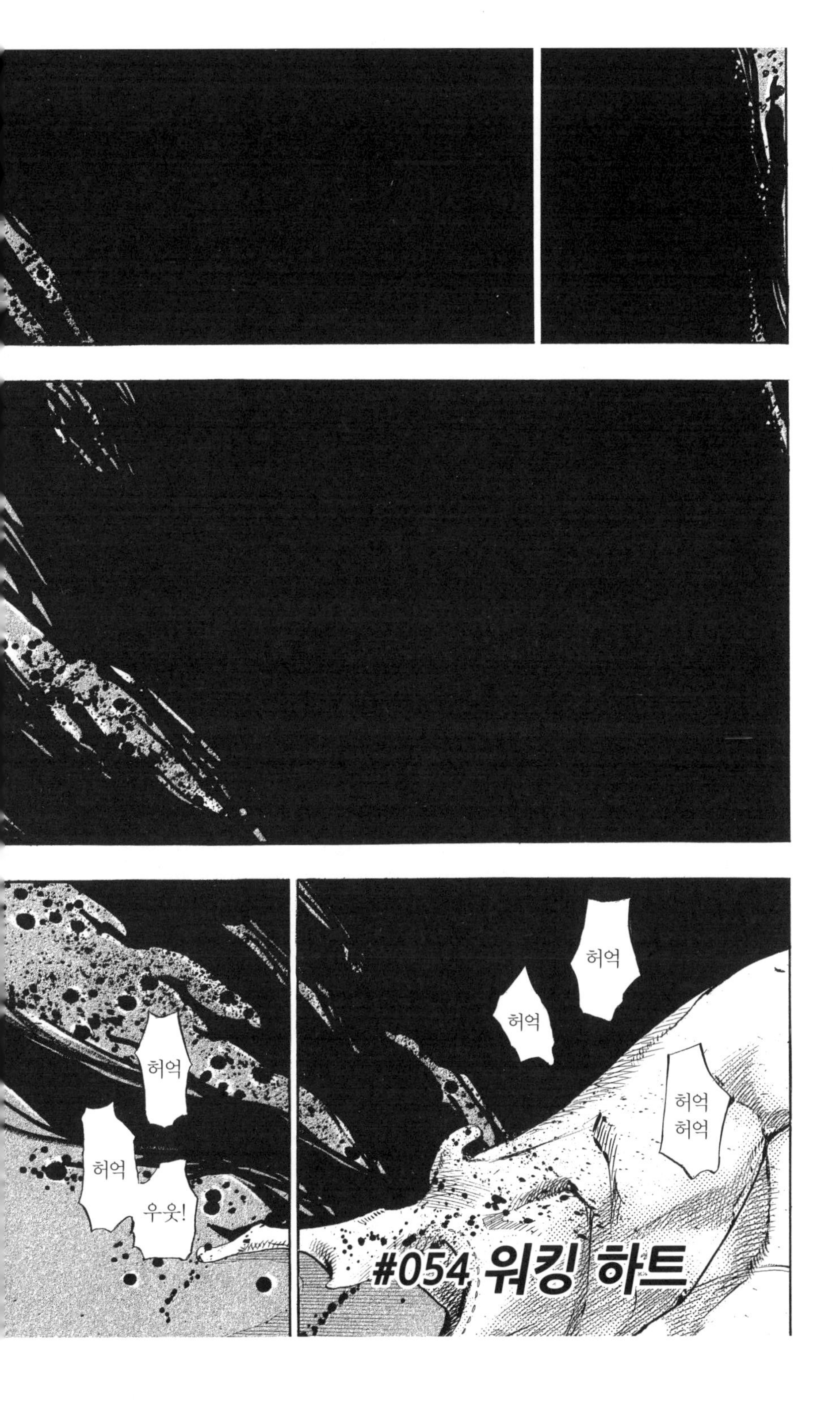
허억
허억
우웃!
허억
허억
허억
허억
#054 워킹 하트

호물
호물
푸슈욱

#054 워킹 하트
하아
하아

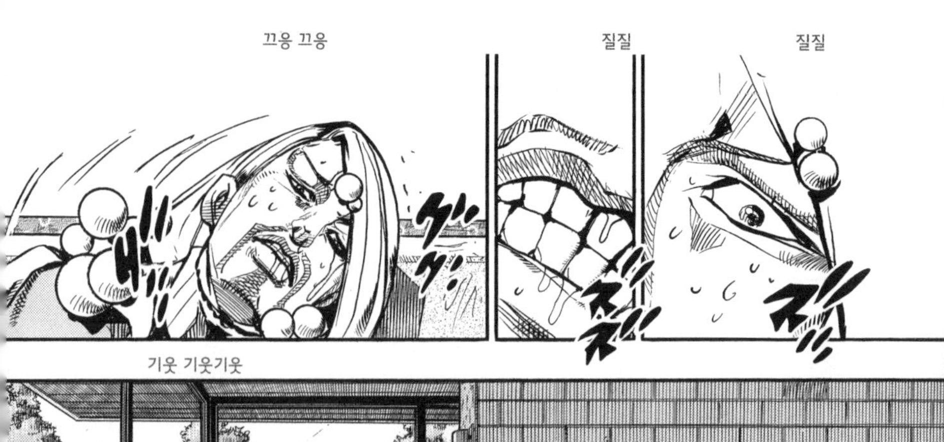
끄응 끄응
질질
질질

기웃 기웃기웃

기웃

이 집은…
정말 훌륭한 저택이야~~ …안 그래…? 노리스케 씨.
흐음 …
휘익 휘익
투욱 투욱

꾸물꾸물
꾸물꾸물 꾸물꾸물
우갸악!! 우갸 갸갸 갸아!!
쑤욱 쑤욱

우아 아갸아 아악!
카하하하!!
역시 헤엄칠 것 같았지이.
열대어가 인간의 몸속에서 헤엄치는 건 처음 봤어! 재밌네에——!
동영상으로 찍어둬야지, 카하하하하!
꾸물꾸물 꾸물

그럼… 지금부터 내가 이 집에서 할 마지막 '질문'을 당신에게 묻지…

'야기야마 요츠유'를 당신 혼자서 죽였다는 건 부자연스러워…
'죠세후미'가 이 마을에 있고, 당신은 그걸 알고 있는 거지?
……
……
죠세후미가 있지?
요츠유도, 쌍둥이도 행방을 감췄어. '쿠죠 죠세후미'를 발견해서 살해당한 거야.

도도도도
요츠유는 '로카카카'와 '키라의 시신'과 달아난 '죠세후미'를 찾고 있었어.
땅속에 있던 키라의 시신은 확인했어!
그 애송이! '죠세후미'는 어디 있지? 그 자식을 찾는 게 내 목적이야.
당신은 그걸 알고 있었지?

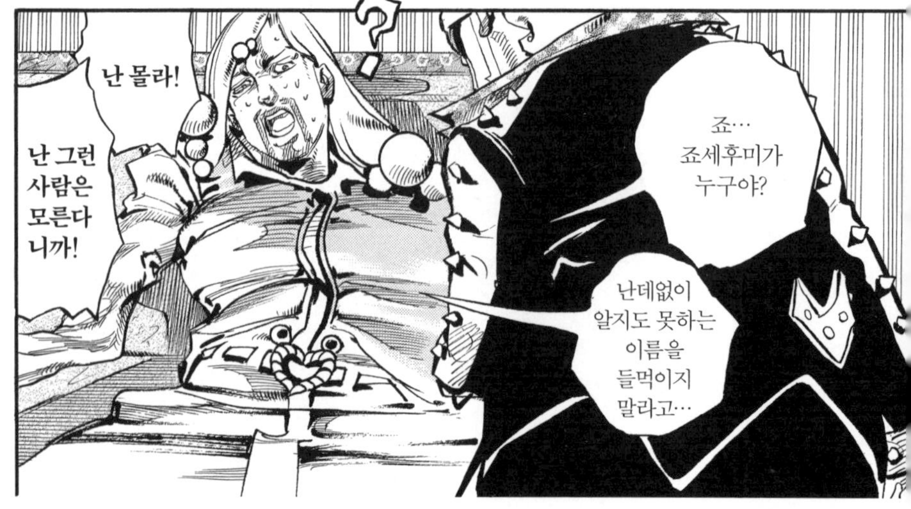
죠… 죠세후미가 누구야?
난데없이 알지도 못하는 이름을 들먹이지 말라고…
난 몰라!
난 그런 사람은 모른다니까!

꾸물꾸물
아갸아아
아아!

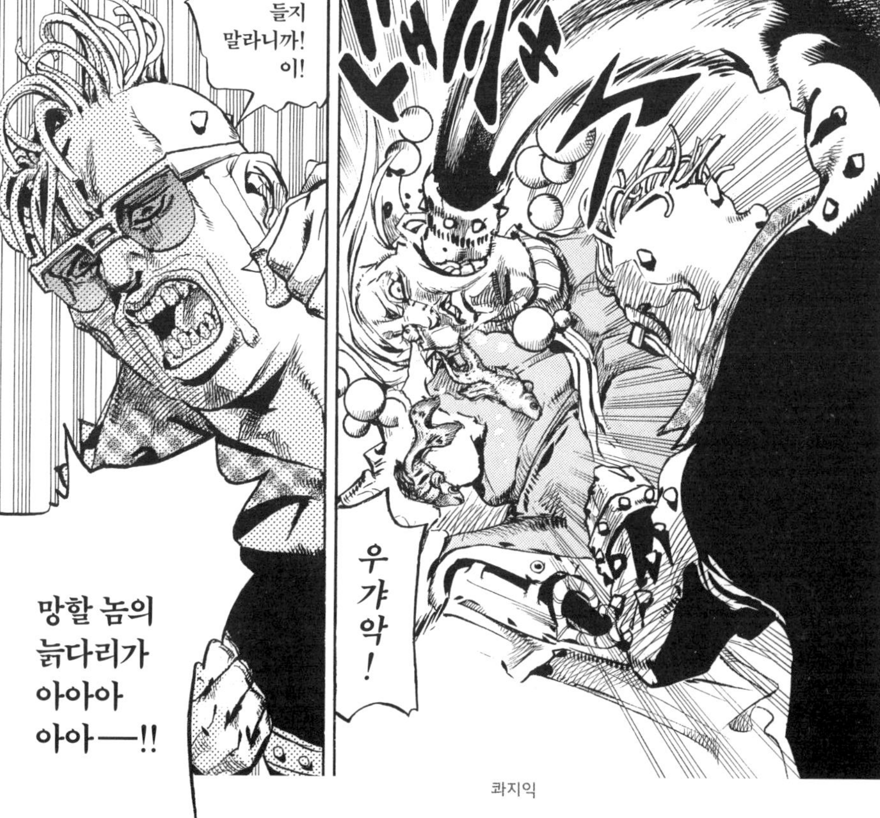
맞먹으려
들지
말라니까!
이!
망할 놈의
늙다리가
아아아
아아—!!
우갸악!
콰지익

'세번째' 목적을 말해주지!
마지막으로 당신네 '가족'을 몰살해주겠어.
현관에 당신 딸이 있는데
일부러 아직 녹이지 않았어.
'하토'가 '비타민C'를 밟지 않도록, 내가 일부러 그렇게 하고 있는 거라고.
허억—
허억— 허억—
이리 불러 눈앞에서 당신 딸을 죽여주려고.
죠세후미가 어디 있는지? 말하지 않으면 말이야.
그리고 당신은 살려주지!
허억—
시집도 안 간 딸이 살해당하는 걸 지켜보라고.
허억— 허억—

쿠우-욱
아버님이 부르셔어.
하토 짜~~~앙.
이리 와봐!
아아 갸갸
우아아…
우갸아아 아아아!!
♪
룬룬 루우~운 ♪
하토짱.
이리 와봐아—
아버님이 부르셔어 ~~~
그,
그만둬어——!

아갸갹
아갸악
—!
……
……
ドドドド
도도도도

도도도도도

저,

저쪽에서 무슨 일이 있길래…

허억

아빠…

허억

하토짱…

다모 타마키는…

지금부터 널 죽이려는 거야.

각오를 다져야 해…!

거짓말… 카… 칸짱이…

날 속일 리 없어…

그 문을 건드리면 안 돼! 놈은 주저 따위 하지 않아!

하토짱이 놈을 이 현관으로 불러!

내가 쓰러뜨릴게!

허억 허억

거짓말… 믿을 수 없어.
카… 칸짱…
말도 안 돼…
놈을 여기로 부르는 거야!
거기서…
현관에서 뭐하고 있어어어~~~?
하토짱 이리 와봐아——
아앗
크윽, 크윽.
그만둬! 제발 그만둬.
그…
아… 알았어…

허억 허억 허억
죽는 건 나 하나면 돼!
하… '하토'는 건들지 마.
애… 얘기하지.
부탁이야… 애들도 원래대로 돌려줘.
얘, 얘기할 테니까.
미… 미안하다, '죠스케'…
용서 해다오 …
죠스케…
널 지켜줄 수 없구나…
뭐?
방금… 누구 이름을 말한 거지?
누구 라고?
고고 고고 고고

고고고고
네가 말한 '죠세후미'라는 이름은 몰라.
처음 듣는데다 난 만나본 적도 없어.
정말 몰라!!
확신이 있는 건 아니지만!

하지만 이야기를 들어보니…
네가 죽은 '키라 요시카게'와 '함께 있었던 청년'을 찾고 있는 거라면…
아마 그 '죠세후미'는… "죠스케"일 거야.
'죠스케'…
라고?!
고고고
고고

고고
고고
'죠스케'
라면
좀전에
모두와
함께 여기
있었던…
죠슈와
비슷한
나이대에,
이 집에서
'신세'를 지고
있다던
청년인가?
당신
지금 무슨
소리 하는
거야?
얼굴이
전혀
달라.
키와
몸집도
다르고!
고고고고
그러니까
나도 확신
같은 건
없다니까!
알겠지
…!
'하토'는
건들지 마!!
이건
내 추측일
뿐이야.
'죠스케'
는
'키라
요시카게'의
유해가
묻혀 있던
곳에서…
기억을
잃은 채
발견됐어…
지금도
기억을 잃은
상태고.
노리
스케
씨.
'하토'는
건들지
않을 테니까…
그 얘기
계속해봐!
듣고 싶군.
고고 고고고

고고고고고 고

‘등가 교환’…
“죠세후미”.
설마…
…우우.
고고고고고고고
그곳이 ‘벽의 눈’ 이었다는 건가?
그 ‘죠스케’가 무너진 토사 아래에 묻혀 있었다는 건가?
‘키라 요시카게’의 시신은 땅속에 있었어.
내가 죽인 ‘키라 요시카게’와 함께?
그건 나중에 확인했지!
카… 칸짱?
아빠한테 뭘 하는 거야?
앗!!

흐물흐물
……
……
ドロ
ドロドロ
ドロ
흐물흐물 흐물흐물
ドロ
ドロ
흐물 흐물터어어어어엉

핵
그만둬어어——!

빠샤아아아아아
카…
칸짱…
…날…
사랑…
저리 꺼져!
내 앞길
막지 말고!

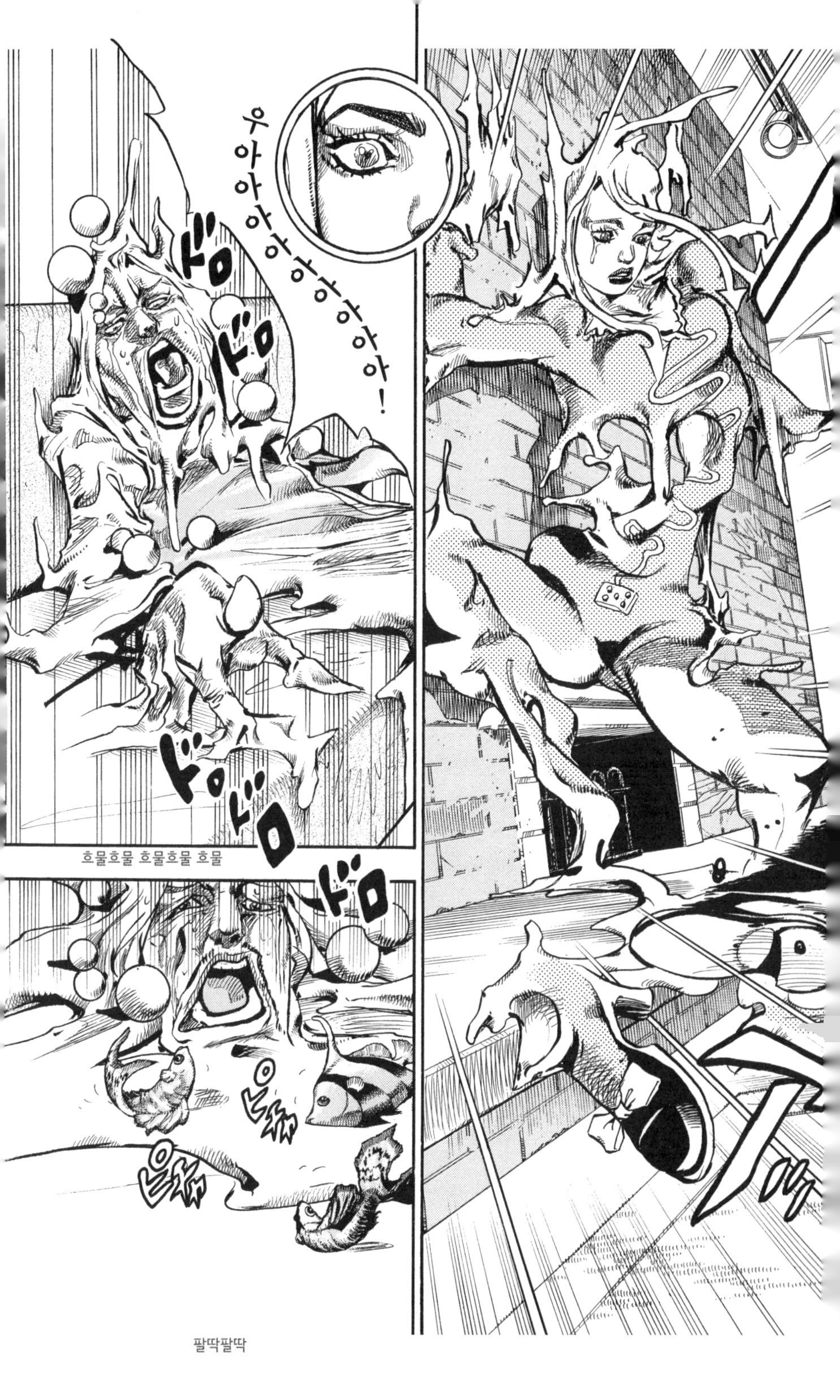

우아아아아아아아아아!
ドロ
ドロ
ドロ
ドロ
흐물흐물 흐물흐물 흐물
ドロ
팔딱팔딱

두웅

도도도도
“죠세후미” …
로카카카의 등가교환!!
이 녀석이 죠세후미!!
도도도도도

도도도도
교환 현상
…이…!!
이런
형태의…

죽은 '키라
요시카게'
의 육체
와…
일부
융합해…
뒤바뀐
건가!
요트가 '폭파된 날'
부터 죠세후미가
모습을 감췄고…
그뒤 일어난 일들이…
전부 이해가 가…
로카카카는,
이런 현상을…
…
그러면…
이해가 가.
도도도도

도도도도
……
……
"비타민C"!
뚜샤아아아

도도도도도
오라
오라
오라
오라
오라!

파아앗
쭐떠어어어어억

흐물터어어-엉
철퍼덕
퍼억 퍼억

컥
퍼어엉
흐물흐물 흐무우우우울

후두둑후두둑

둥실둥실

이 '능력'…
일부는 '키라'의 것이잖아.
'키라 쪽'이 '죠세후미'의 몸과 교환된 건지도 몰라.
어쩌면 거꾸로일지도 모르겠군…

흐물흐물

도도도도

뭐…
어느 쪽이든
상관없나…
내 목적은
널 찾아내는
거였고…
그건 지금
달성했다.
접목된
'로카카카'도
몹시
흥미롭지만
나중에 느긋이
찾아보도록
하지.
쉬익!

푸슉 푸슉
우아아아아아아우허억!
이거어… 진짜로 기억도 잃은 상태인 모양이군.
그날… 요트 위에서 나는 빳빳한 천 엔짜리 새 지폐로 똑같이 이렇게 했었다.
가르쳐 줄 테니까 잘 봐라… 다시 한번 이렇게 죽는 거다.
아아아
너의 (키라의)
쿠우오아
찌이익
간을 도려내줬지.
우아아 아…
찌익 찌익

그리고
오늘은
네 목도
따주마!
좌아아아아아
스윽

파앙!
!?

파앙 파앙
……
……
하토?!

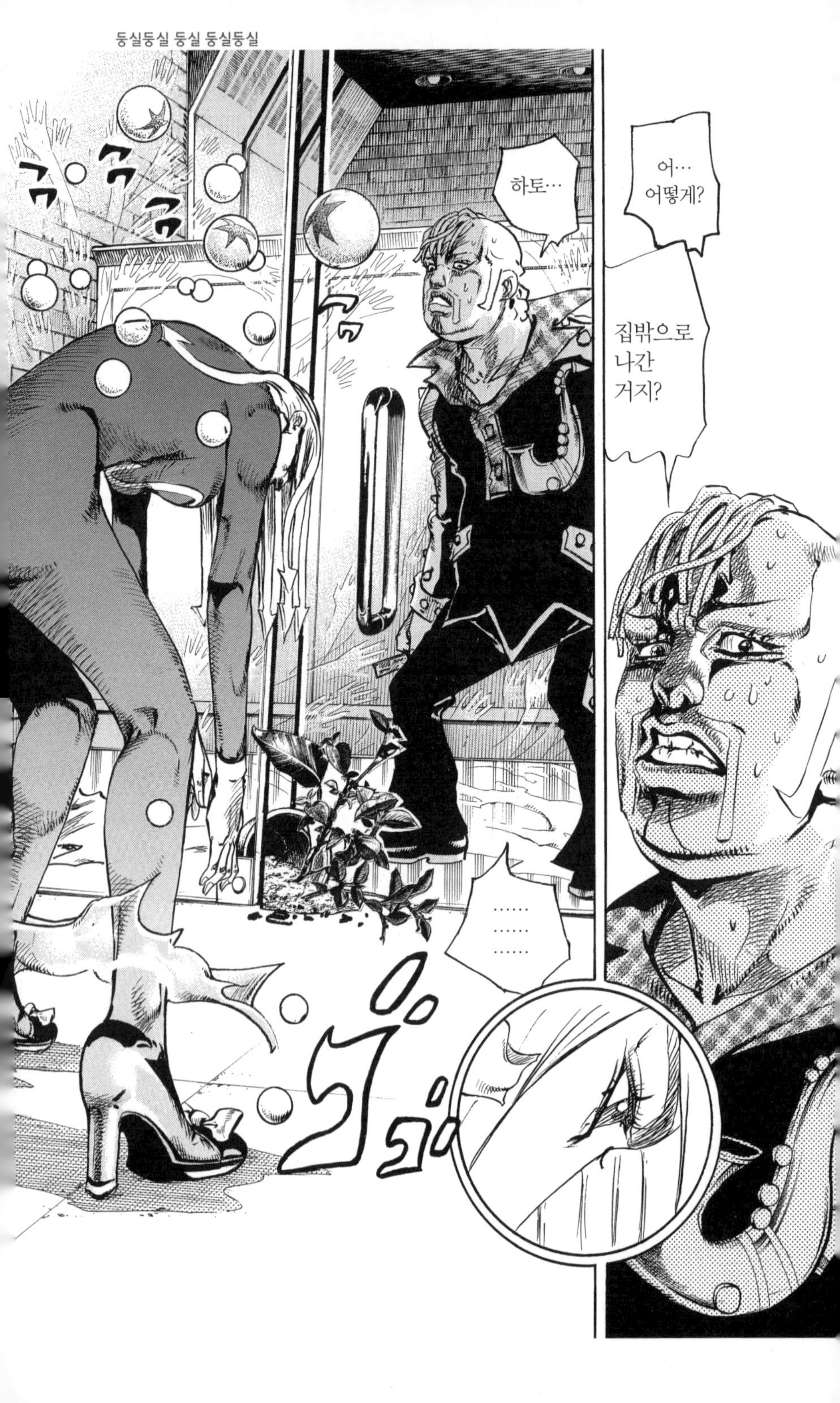
둥실둥실 둥실 둥실둥실
어…
어떻게?
하토…
집밖으로
나간
거지?
……
……
……

둥실둥실
확
둥실
둥실 둥실둥실
고고고고

앗!!
'죠세
후미'
?!!
네, 네가
'하토'를!
굴뚝을 통해
밖으로!!

투콰아악

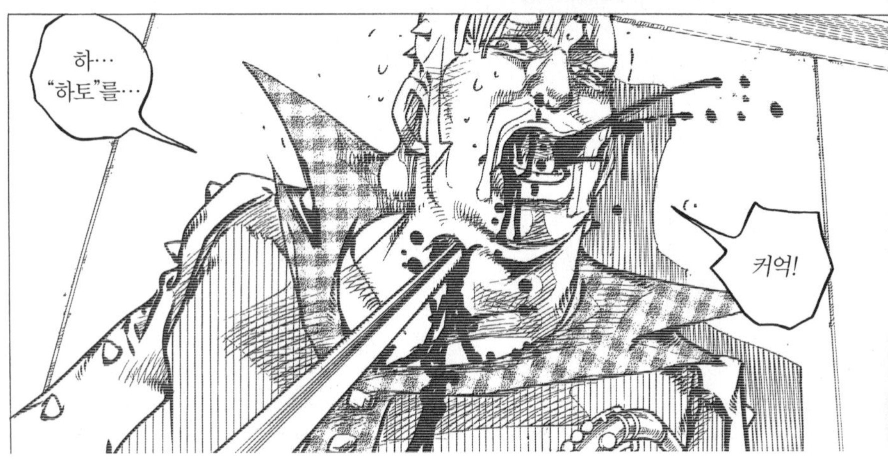
하…
"하토"를…
커억!

이 애송이 가아아!
네가!
죠…
죠세 후미,
…'밖' 으로…
'비타민 C'의 사정거리
굴뚝을 통해…
그게 아냐…
약간 달라…
흐물흐물
덥석 덥석
네가 하토짱을 녹이기 전까지만 해도… 하토짱은
널 감싸고 들었어… 널 쭉 믿었다고.
하지만 네가 하토짱을 녹였지!
멀쩡해졌더군… 사정거리 밖에선 원래대로 돌아오는 거야.
그래서 비눗방울로 감싸 굴뚝을 통해 밖으로 내보낸 거야.
문 밖에 있던 "화분의 잎"은…

쑤욱
아갸악 !
쑤욱
부웅 부웅 부웅

파슈웅 파슈웅 푸화악
오고아
아아악!
……
……
우갸아아
아—악!
데굴 데굴데굴
흐물흐물

질질 질질
허억―
허억―
헉헉―
우아
아아
아갸갸
난 그냥
'죠스케'를
찾고 있었던
것뿐이야!
하토짱!
처음부터
너희
가족은
원래대로!
널 진심으로
사랑해―
도도도도

⑬ 워킹 하트 마침

옮긴이 **김동욱**
홍익대학교 출신. 게임 및 IT 기술 번역으로 2000년대 초 번역과 연을 맺었다.
이후 애니메이터 등 다방면으로 서브컬처 업계에 종사하다가 출판번역에 입문하여
현재는 전업 번역가로 활동하고 있다. 옮긴 책으로는 『스톤 오션』『스틸 볼 런』 등이 있다.

죠죠의 기묘한 모험 **Part 8**

죠죠리온

제13권 워킹 하트

초판인쇄 2023년 6월 16일
초판발행 2023년 6월 23일

지은이 아라키 히로히코
옮긴이 김동욱

책임편집 조시은
편집 김지애 이보은 김지아 김해인
디자인 백주영
마케팅 정민호 김도윤 한민아 이민경 안남영 김수현 왕지경 황승현 김혜원
브랜딩 함유지 함근아 박민재 김희숙 고보미 정승민
제작 강신은 김동욱 임현식
원화수정 윤정아

펴낸곳 ㈜문학동네
펴낸이 김소영
출판등록 1993년 10월 22일 제2003-000045호
주소 10881 경기도 파주시 회동길 210
전자우편 comics@munhak.com
대표전화 031-955-8888 | **팩스** 031-955-8855
문의전화 031-955-3576(마케팅) | 031-955-2677(편집)

ISBN 978-89-546-9277-9 07830
978-89-546-8211-4 (세트)

인스타그램 @mundongcomics
트위터 @mundongcomics
페이스북 facebook.com/mundongcomics
카페 cafe.naver.com/mundongcomics
북클럽문학동네 bookclubmunhak.com

www.munhak.com